Jacques Laurent

Le nu vêtu
et dévêtu

Gallimard

I

On le sait : des haillons font un mendiant, une couronne fait un roi. Même couronné, François Ier commande une armure si somptueuse qu'il n'arrivera jamais à la payer. Mais il suffit qu'un prince retrousse à la diable son pantalon pour que triomphe le pantalon à revers ; l'habit fait le prince mais le prince rend princier un habit, il lui suffit de le porter. Le vêtement est une mise en scène.

A la faveur d'une mise en scène dont il est l'auteur, l'homme peut se persuader que la pièce écrite par les photons, les acides aminés, la gravitation et les spermatozoïdes — ou par la résistance des matières et la succession des saisons —, que cette pièce, il en est l'auteur et qu'en empruntant le pseudonyme d'un dieu ou d'un principe, il a le droit de la signer.

Le prince d'une légende saharienne demande à un homme nu :

— Que te manque-t-il ô homme nu ?

— Une bague mon prince.

Dans *Les Contes du chat perché,* Delphine et Marinette ayant fait connaissance avec des lapins de garenne, bientôt ceux-ci leur demandèrent « si elles étaient nées avec leurs habits ou s'ils étaient poussés plus tard. Elles étaient souvent embarrassées de répondre. Delphine ôta son tablier pour montrer qu'il ne tenait pas à sa peau et Marinette se déchaussa d'un pied. Pensant qu'elles devaient se faire très mal, ils fermaient les yeux pour ne pas voir ».

Enfant, je fardais mon nez avec le rouge à lèvres de ma mère, j'improvisais des moustaches avec de la crème au chocolat ou de la pâte dentifrice ; armé d'un stylo ou d'une plume sergent-major qui tressaillait sur les pores de ma peau, j'enlaçais de bleus triangles autour de mes genoux ; pour la mi-Carême je me regardais dans une glace, transformé en une grimace bariolée et hirsute ; ainsi reflétais-je un vieux pouvoir qui n'a jamais cessé d'étonner l'homme, celui d'imaginer et de trouver en soi un support charnel à l'illusion.

Si l'homme est vêtu, c'est qu'il l'a bien voulu. Rien n'est plus léger que de placer le vêtement sur le même plan que l'habitation, l'agriculture, l'élevage. La nature exige en effet que l'homme dorme, boive, mange. Elle ne lui fait pas un besoin de se vêtir, sauf sous des climats extrêmes. De même que les Indiens vivent nus en Amazonie, les Méditerranéens vivraient nus encore s'ils n'avaient été sensibles qu'aux impératifs physiologiques. Les besoins de l'imaginaire les harcelèrent aussi impérieusement que ceux du corps. Le vêtement naquit. Inutile mais nécessaire, superflu mais fascinant, il donna en apparaissant la preuve que l'homme savait qu'il n'était pas un animal. C'est entre la naissance de la religion et de l'art qu'il faut placer celle du vêtement et non dans le chapitre des armes, des hameçons et des outils agricoles, bref de l'efficace. Et encore, obligé de choisir, je placerais les premiers dieux dans l'efficace et non le vêtement qui procède du fantasme et en démontre l'impérialisme.

Est vêtement tout ce qui a volontairement changé la peau des hommes, fût-ce un trait de peinture. Car le vêtement fut d'abord un ornement. Sur le flanc des poteries l'homme traça des zébrures et, de même, sur sa peau. Un même génie l'avait poussé à dessiner sur les parois de pierre et sur sa propre chair. Avec emportement, il considéra ces activités de luxe comme primordiales et d'une importance égale à celles qui lui permettaient de survivre. Comme la peau d'un galet, la surface du corps humain est lisse ; son unité de ton se prête à la peinture, son moelleux au tatouage, au maquillage.

L'architecture d'un corps comporte des étranglements autour desquels on peut assujettir des cintres disposés à tenir en suspens, des coupoles qu'il est tentant de coiffer, des volumes apparentés aux cônes le long desquels on fera remonter des cercles jusqu'à ce que le galbe les immobilise. Dès lors casques, anneaux, vagues de plumes, masques n'ont plus qu'à apparaître pour parfaire l'entreprise dénaturante du tatouage. Grâce aux masques, on obtiendrait une face plus large que les deux épaules, terrible ou rêveuse selon l'inspiration. Ce besoin de métamorphose réapparaît tout au long de l'histoire du vêtement — cas du hennin qui fait du crâne un cône, du vertugadin ou de la crinoline qui inventent des hanches en forme d'ailes ou de coupoles. J'appelle aussi bien vêtement l'effet d'un bandage qui transforme le pied d'une Chinoise en un arc où le gros orteil frôle le talon, et le complet bourgeois né au XIXe qui dissimule les plis des articulations en tuyautant les membres.

Petits, nous jouions à travestir les animaux domestiques, le chien à qui nous avions passé des chaussettes et un bonnet peinait avec application pour s'en dépêtrer, la chatte avait tôt fait de se délivrer d'un collier de fleurs ou d'aiguilles de pin. La présence de ces corps étrangers les irritait tous. Ils restaient intégrés à un univers où, si l'on souhaite un outil ou une parure, on attend du corps qu'à l'occasion il les fabrique. L'espèce se fie au pouvoir dilatateur et inventeur de la nature. Si on la laisse aller, des milliers de printemps aidant, elle ne demande pas mieux que de s'épanouir en excroissances durables, en proliférations prolifiques, elle est un champ d'accouchements, d'éclosions, de moisissure, où viennent se gorger les charognards à poils et à plumes ; elle ne demande qu'à prendre le départ, à grouiller, à pousser des pseudopodes, à inventer des duvets, à détraquer les embryons en affolant les gènes, à muter — par la force du hasard, plus hallucinante que celle de l'habitude. Pour Monod, les rêves passent comme des frissons sur les espèces et les disposent à accepter ou non les modifications qui se proposent fortuitement à leur statut. Ainsi est-il possible qu'un poisson fût charmé quand il lui poussa les pattes dont l'absence irritait son désir. Il suffit de laisser passer les millénaires et le front se hérisse en crête ou en corne, le nez s'allonge en trompe, les pattes se palment ; servi par le hasard, le rêve, paradis aérien ou abysse, progrès technique ou cauchemar, s'incarne. Les hommes n'ont jamais attendu des lentes œuvres de la biosphère la concrétisation de leurs souhaits. S'ils ont envie de palmes ils les fabriquent, les enfilent et les retirent dès qu'elles leur sont importunes. La même racine indo-européenne a donné *arm* en anglais qui signifie bras et en français *arme* qui est un prolongement du bras, le produit d'une invention, un supplément qu'on utilise le moment venu.

Nous savons que l'homme est un faiseur d'outils, son cerveau lui en donnait le pouvoir et nous n'avons pas de mal à comprendre pourquoi une charrue ou une arme a évolué. Ces modifications se sont déroulées dans un rationnel auquel l'histoire du vêtement reste rebelle. On peut expliquer fonctionnellement l'armure du chevalier, la tunique du plongeur parce qu'elles sont des outils mais on passe en un autre monde dès que l'on assiste à l'apparition du hennin, des talons hauts ou de la cravate. Ce n'est pas la même part de l'homme qui inspire la conception de la hache et celle du tatouage. Dès le tatouage, l'homme prouvait son refus d'accepter les apparences que la nature lui avait fixées.

Il se jetait à corps perdu dans une aventure mue par sa seule imagination. Celle-ci lui a noyé la tête sous les plumes comme un oiseau, ou grâce à un casque cornu, lui a offert le front d'un bison ; elle a affûté ses talons en aiguilles, a étranglé sa taille comme celle d'une guêpe, tantôt gonflant ses épaules, tantôt empennant ses hanches, tantôt le plissant comme une colonne dorique ou corinthienne, tantôt lui greffant une queue de pie. Rien ne l'y obligeait mais le goût d'exercer sa liberté et son pouvoir le poussait, et sans doute aussi son angoisse.

II

Un peu avant cinq heures mon père rentrait du Palais. Son melon suspendu au portemanteau comme un fruit exotique, il se penchait sur moi pour m'embrasser ; si le temps était froid, il s'asseyait devant une bouche de chaleur (rectangle grillagé qui, tenant lieu de radiateur, émettait un flot d'air chaud auquel se mêlait parfois une souris blanche) et retirait ses guêtres mauves ; pour peu que l'humidité eût retenu son attention, il changeait de chaussures. Puis toujours gileté, cravaté, le cou engoncé dans une blancheur amidonnée et brillante, le corps masqué par une livrée sombre, il se dirigeait vers son bureau au moment où retentissait le coup de sonnette du premier plaideur. Après le départ du dernier, il se « changeait », revêtant l'habit ou le smoking, ou seulement un complet plus frais et plus raide, signes qu'il allait « dîner en ville » ou

14

qu'il recevait ; ou encore il passait une vieille
veste avachie et enfilait les chaussons qui
l'attendaient devant la bouche de chaleur,
signes que nous allions nous mettre à table
entre nous, rite familier qu'il accomplissait
quelquefois en revêtant un vieil uniforme d'officier de réserve qu'il usait, faute de guerre,
dans l'intimité. Le matin, il apparaissait au
petit déjeuner les pieds nus dans des mules,
offrant à ma curiosité des chevilles où se
nouaient des veines, le corps enveloppé dans
une robe de chambre à brandebourgs qui
l'apparentaient inopinément aux dompteurs de
l'époque ; un pyjama réséda en dépassait. Au
Palais, où il m'emmena un après-midi, je le vis
sans étonnement enrobé de noir et rabatté de
blanc, cette apparence complétant les autres
auxquelles s'ajoutaient le grand sombre maillot
qu'il portait sur la plage, la blancheur de la
tenue de tennis ou encore la marinière bleue et
le pantalon rouge délavé crevette que les bourgeois portaient en vacances pour imiter les
pêcheurs indigènes. Je n'imaginais pas mon
père nu — ni vêtu autrement qu'il ne l'était à
travers des modifications rituelles. Je n'aurais
pas imaginé davantage qu'il pût partir pour le
Palais en marinière bretonne ni surgir en

smoking pour les petits déjeuners, et je ne pouvais pas non plus imaginer que « quand je serais grand » je m'habillerais autrement que lui. Même, cette certitude freinait mon élan dans la recherche d'une future carrière, car, pompier, j'aurais été coiffé d'un casque étincelant, cuisinier, d'une toque blanche, terrassier, mes hanches auraient plongé dans un vaste pantalon de velours dont l'une des poches laisse dépasser un double mètre. Il était exclu pour moi de porter plus tard d'autres vêtements que mon père, tant, de ce qui m'entourait, le vêtement me donnait l'illusion la plus solide de la stabilité universelle.

Or, le vêtement était né du besoin éprouvé par l'homme de *se changer,* puis le besoin de *changer* créa la mode. Les premiers Égyptiens variaient leur tenue en toute occasion, alternant une tunique blanche avec une autre tissée d'or, la surmontant parfois d'un large collier ornemental. Ils recouraient aux barbes postiches qu'ils mettaient et enlevaient comme des masques ; un prince, à l'occasion, s'accrochait une queue de lion[1] au bas des reins. Un Égyptien

1. Le rapport du corps humain et des peaux de bêtes exigerait une étude particulière. De même que l'arme a précédé l'outil, il est probable que la fourrure a précédé le vêtement, donnant au

de la haute société pouvait varier ses apparences, n'ayant qu'à choisir dans sa garde-robe. Le matin, il vaque à ses affaires en pagne ou en jupon puis « pour s'habiller » il enfile une tunique ; sa femme porte en général deux tuniques dont l'une est devenue sa chemise et constitue un dessous. Le transparent fait fureur et l'on portera même des robes faites de résilles qui sont très révélatrices. La pudeur existait-elle ? Beaucoup de robes découvraient les seins et la transparence se chargeait de faire deviner le reste du corps.

Mais d'un siècle à l'autre la mode bougeait si peu que nous ne pouvons l'entrevoir que comme une velléité. Au deuxième millénaire, notamment sous les Ramsès, le costume reste presque inchangé.

Le vêtement est soumis au regard des autres, à leur jugement. Nous ne sommes pas libres, si nous vivons en société, de nous vêtir comme il nous chante. Que je sorte, à Paris, vêtu d'une robe et j'encours une réprobation écrasante. Le vêtement et son histoire ressortissent d'un fantastique nourri de métaphysique, mais aussi

chasseur une protection, un déguisement, un pouvoir mi-ludique mi-sacré qui se perpétua.

de vigilance sociale. La tradition s'oppose aux innovations vestimentaires et celles-ci, puisqu'elles concernent notre apparence, ne peuvent passer inaperçues. Une idée nouvelle nous pouvons en conserver le secret alors que le moindre insolite dans un vêtement nous trahit. Le costume et la coutume, l'habit et l'habitude[1], cette évidente parenté est significative et le vêtement ne peut varier qu'en un temps où les coutumes varient, où les habitudes se rompent. Il a bougé avec lenteur en Égypte parce qu'une société théocratique prétend en toute candeur à la stabilité. C'est en Occident que son mouvement s'est accéléré, en Grèce puis à Rome surtout pendant la période impériale. Les formes qui se multiplièrent au Moyen Age étaient pour la plupart inconnues de l'Antiquité. Mais pendant longtemps l'Occident a modifié ses vêtements et ses idées à une cadence qui s'accélérait sans parvenir à concevoir qu'elle était caractérisée par la passion du changement en soi ; il croyait toujours accéder par une ultime étape à une pensée ou à un vêtement définitifs. Pourtant, il pressentait sa

1. Ayant passé des années à l'intérieur de l'Asie et s'étant habitué aux apparences orientales, le Père Huc fut pris de fou rire quand il revit des Européens.

vocation sans la formuler et à partir de la Renaissance il renonça à peindre la Vierge en costume du temps parce qu'obscurément il le devinait éphémère. La sculpture nous laisse des Louis XIV et des Napoléon en jupons antiques.

C'est seulement au xvII^e siècle que la prise de conscience se produit. Pour Molière, l'attachement sénile au vieux pourpoint est ridicule. Descartes conçoit que les modifications du vêtement ne sont dues qu'à un pur désir de changer, de renaître sous une nouvelle apparence lors même que la nouveauté consiste à revenir à une forme précédemment abandonnée : « La même chose qui nous a plu il y a dix ans et nous plaira peut-être avant dix ans nous paraît aujourd'hui extravagante et ridicule. » Les prédicateurs tonnent contre les esclaves de la mode mais la cause est entendue et, au xvIII^e, les chroniqueurs constatent le fait sur un ton badin : « Il faut qu'à la mode chacun s'accommode, le fou l'introduit, le sage la suit. » Un autre considère comme un fait acquis la gratuité et la rapidité du changement : « Les colifichets qu'aujourd'hui l'on admire à la foire ou au palais dans deux jours feront rire. » La notion de mode, tant elle contenait de déraison pour un classique, ne se dégageait que lentement, et quand La Bruyère lui consacre un chapitre il nous surprend en présentant comme des victimes de la mode des originaux solitaires et passionnés, un amateur de fleurs qui sacrifie sa vie aux tulipes, le collectionneur de médailles, le collectionneur de bustes ou de papillons, le voyageur obnubilé, le linguiste insatiable. Mais il se rapproche du sujet en abordant le duel dont la mode ne s'est affaiblie qu'au XIXe, encore que le devoir de risquer sa vie pour une vétille ne soit pas une manifestation aussi pure et gratuite de la mode que la forme d'un soulier[1]. La Bruyère touche vraiment à la

1. Le duel me fournit même une occasion de distinguer les variations du vêtement, du savoir-vivre, voire même de l'esthétique qui ne tiennent qu'à un besoin passionnel et aléatoire de changement et les profondes modifications de la morale. Un chevalier du XIIIe qui ne quittait point son armure et un courtisan du XVIIe qui se ruinait en rubans se croyaient également tenus par le sens de l'honneur à accepter, de gaieté ou de tristesse de cœur, un duel, et il y a un demi-siècle un ennemi patenté de la violence, Paul Léautaud, était encore disposé à constituer ses témoins. Corneille fut sans doute le dernier poète de l'honneur féodal, et le roman picaresque innova en déployant un monde où cet honneur était inconnu ou tourné en dérision. Il n'empêche que le duel a survécu pendant la période classique, qu'on se battait encore à mort pendant l'ère romantique, et que le duel ne disparut au XXe que parce qu'il devenait un simulacre (deux balles échangées sans résultat) et qu'il était risible, comparé à la vie quotidienne des combattants de la Première Guerre mondiale. On n'imaginerait pas aujourd'hui un duel entre un leader

mode quand il écrit : « Un philosophe se laisse habiller par son tailleur : il y a autant de faiblesse à fuir la mode qu'à l'affecter. [...] Il me paraît qu'on devrait seulement admirer l'inconstance et la légèreté des hommes qui attachent successivement les agréments et la bienséance à des choses tout opposées, qui emploient pour le comique et pour la mascarade ce qui leur a servi de parure grave et d'ornements les plus sérieux ; et que si peu de temps en fasse la différence. [...] Une mode a à peine détruit une autre mode, qu'elle est abolie par une plus nouvelle, qui cède elle-même à celle qui la suit, et qui ne sera pas la dernière : telle est notre légèreté. Pendant ces révolutions, un siècle s'est écoulé, qui a mis toutes ces parures au rang des choses passées et qui ne sont plus. La mode alors la plus curieuse et qui fait plus de plaisir à voir, c'est la plus ancienne : aidée du temps et des années, elle a le même agrément dans les portraits qu'a la saye ou l'habit romain sur les théâtres, qu'ont

communiste et un leader giscardien, ce qui implique non pas qu'ils aient perdu toute notion de l'honneur mais que le fondement de celui-ci a été déplacé par une lente et puissante transformation de l'éthique sociale dont l'histoire ne défie pas l'analyse comme celle de la mode.

la mante, le voile et la tiare dans nos tapisseries et dans nos peintures. » Tel est l'Occident : il analyse même ses folies.

Le dernier légionnaire romain qui évacua l'Afrique du Nord y laissa des bergers en burnous ; en 1830, le berger que rencontra la cavalerie de Charles X était toujours enveloppé dans le même burnous. Sur la presque totalité des terres habitées il faut qu'une révolution, une invasion le plus souvent, apporte ou impose de nouveaux usages pour que le vêtement ose sortir d'une immobilité sacrée. Au contraire, et malgré l'empire de la tradition, l'Occidental se révèle comme un être pour qui, durant toute la durée de son aventure, exister c'est changer. Conservatrices, la religion et l'autorité ont parfois tenté de s'opposer au changement mais elles n'ont pas mieux réussi avec celui du vêtement qu'avec celui des idées ; les lois somptuaires ont été plus souvent tournées et bafouées que respectées.

Montaigne les approuvait, qui — comme Platon — considérait qu'il était de la compétence du législateur de régler les accoutrements et le savoir-vivre. Il est des moments chez un penseur où l'on se demande s'il révèle un trait secret de sa nature ou si, parce qu'il s'est laissé entraîner à suivre une convention trop vite admise, il œuvre contre lui-même ; Montaigne et Platon, purs produits de l'Occident (et encore plus Montaigne), s'entendent, alors que l'un et l'autre apportent du neuf, pour considérer que tout changement est à craindre et qu'il est du devoir de la cité qu'elle interdise « à la jeunesse de changer en accoutrements en gestes en danses en exercices et en chansons d'une forme à l'autre, remuant son jugement tantôt en cette assiette, tantôt en celle-là, courant après les nouvelletés, honorant leurs inventeurs ; par où les mœurs se corrompent et toutes anciennes institutions viennent à dédain et à mépris ». Or l'Occident sécrète une aspiration perpétuelle au nouveau qu'aucun des législateurs souhaités par Platon et Montaigne n'a pu enrayer. En Chine, une loi pouvait régler un costume. En Russie, il suffit à Pierre le Grand d'un oukase pour, le 4 janvier 1700, imposer le costume occidental à l'aristocratie, aux dignitaires et aux fonctionnaires alors que les accès de colère de Louis XIV et de Napoléon ne réussirent à supprimer ni la coiffure à la Fontanges ni le corset. En France les uniformes judiciaires, ecclésiastiques, militaires, ceux des académiciens et des préfets, peuvent être l'objet de décisions administratives, mais l'administration s'est bornée à codifier l'évolution des usages. Les lois somptuaires, sauf peut-être dans l'Antiquité, se sont heurtées à une difficulté d'application qui les ont condamnées à disparaître et les législateurs, s'ils ont réussi à faire appliquer leurs décisions quand ils défendaient la pudeur sur les plages, les scènes et les écrans, ont toujours été dépassés au bout du compte par un mouvement de la sensibilité qui était beaucoup plus puissant qu'eux.

III

L'imprévisibilité de ce changement perpétuel en constante accélération, produit de l'Occident, se heurte à un autre produit de l'Occident : la Raison. Les historiens du costume tout comme les chroniqueurs de mode se sachant incapables de prévoir — Robida, dans son *Vingtième siècle,* tombe juste dans beaucoup de domaines mais s'égare dès qu'il s'essaie à prédire le costume — ont tenté de préserver le principe de causalité en expliquant *a posteriori.* Une historienne du costume illustre cet état d'esprit qui consiste à récuser le fantastique, à dénier au costume — c'est-à-dire à l'homme — l'inquiétant pouvoir de changer pour le plaisir de changer ; elle recourt au trompe-l'œil pour rétablir coûte que coûte l'empire du déterminisme ; éprouvant le besoin d'attribuer une cause à une mode féminine qui révélait et mettait en valeur le ventre, elle l'explique par les hécatombes de la guerre de Cent Ans : « Il faut repeupler. » Or les autres grandes saignées historiques n'ont pas été suivies par l'exhibition du ventre féminin, ni même par des vêtures provocantes. D'autre part, quelques lignes plus loin, l'auteur remarque que, selon les époques, les régions du corps de la femme investies d'une charge érotique ont varié. Pourquoi le ventre au xve ? Et pourquoi aussi bien qu'en France, en Italie où la guerre de Cent Ans n'avait pas eu lieu ? Toujours dans la même page, comme s'il s'agissait d'une loi, l'auteur énonce que les modes les plus séduisantes en lingerie correspondent au surplus de la population féminine après les guerres, celles de l'Empire, celle de 70, celle de 14. Or, pendant les vingt-cinq années de paix qui précèdent la guerre de 14, les dessous sont beaucoup plus nombreux et compliqués qu'après la guerre de 14 et celle de 40 aboutit à une simplification spartiate du dessous.

Au Moyen Age on s'est mis, contrairement à la tradition, à coucher nu ; il s'est trouvé des historiens qui ont expliqué cette nouveauté par la rareté du textile alors que la même période témoigne d'une évidente exubérance vestimentaire ; au xvie siècle, quand la chemise de nuit réapparaît, on la présente comme une protection contre le froid comme si les moyens de chauffage avaient tout à coup régressé ou que le climat avait changé. Il y a vingt ans, les historiens n'avaient pas de mal à expliquer le raccourcissement des robes qui avait suivi la guerre de 14 : pour conduire une voiture ou une moto, pour sauter dans un autobus, pour courir à son travail, la femme moderne qui était active et pratique ne pouvait rester prisonnière de la longueur de sa robe. Là-dessus la maxi est apparue et lui ont survécu, sans évoquer même les robes gitanes qui balaient le trottoir, des modes assez longues sans que, pour autant, les femmes aient en rien renoncé à leur activité.

Dans l'histoire du costume, donc de ses variations, donc de la mode, la recherche d'effets liés à une cause, la réduction d'une improvisation irréglée à un processus rigoureux n'a jamais conduit qu'à des sottises. Même Alain s'égare par excès de logique quand il raisonne de la mode. Il lui veut des buts précis qui seraient par une charitable politesse de dissimuler les disgrâces physiques, les outrages du temps ; ce qui l'entraîne à affirmer : « Au temps où les hommes se paraient, la perruque était une politesse de tous à l'égard de ceux qui ne pouvaient pas se passer de perruque. » Il faudrait alors expliquer pourquoi cette charitable mode n'a guère duré plus de deux siècles, par quel généreux élan du cœur elle naquit, sous quel assaut de l'égoïsme elle disparut. On se trompe dès que l'on se croit fondé à limiter l'homme à des enchaînements qui s'imposent sans doute dans l'examen de la matière et même jusqu'à certains étages de l'animalité et qui ne s'appliqueraient à lui que s'il n'était pas un homme. Il est plaisant que ce soient des géographes, des scientifiques, qui aient été sensibles au refus d'obéissance que l'homme a opposé aux ordres que lui dictait sa situation. Ils ont eu l'audace d'admettre les faits. En dépit de leurs côtes, les Hollandais ou les Phéniciens se vouèrent à la navigation « parce qu'ils le voulaient à tout prix ». Les Mozabites confectionnaient un ciment dont la cuisson exigeait des combustibles qu'ils étaient obligés d'aller péniblement chercher très loin : ils avaient besoin, quand ils construisaient une maison, d'atteindre à une perfection. On se demande par quels moyens dans l'Antiquité et surtout dans la préhistoire des peuples ont réussi, et au prix de quel effort, à aller chercher à de fabuleuses distances des pierres qui leur plaisaient plus que celles qui étaient à leur disposition.

Vidal de La Blache ne songe pas à s'en étonner : pour lui, l'homme est ainsi fait qu'il choisit à sa guise, il n'est pas passif ; que la nature du sol qu'il occupe le conduise automatiquement à l'élevage, il peut choisir de jardiner. « Nous ne sommes pas des automates. » C'est au moment où les Italiens retrouvaient à merveille l'art de traiter et de dominer la pierre que se construisit à Florence le palais Pitti d'une façade volontairement composée de blocs non dégrossis, dont l'entassement feint d'être barbare.

La critique littéraire, aujourd'hui, réduit les créations à des schémas et à des structures qu'elle demande à la linguistique, à la politique, à l'économie, à la pathologie mentale, à la sociologie, aux mathématiques, à tout ce qui peut étayer la prétention des sciences humaines. Elle ne fait qu'imiter la critique du XIXe siècle qu'un autre géographe a raillée parce qu'à la légère et en toute ignorance de cause elle faisait de l'histoire, de l'art, du génie individuel, des produits d'un groupe collectif issu du sol et du climat. Ce géographe, Jean Brunhes, rappelait à la fois que La Ferté-Milon et Château-Thierry n'étaient distants que de trente kilomètres et que la délimitation qui les séparait n'était due qu'à un caprice administratif, ce qui n'empêchait pas une critique assoiffée d'explication positive d'expliquer la pureté de Racine par l'Ile-de-France et l'insouciance de La Fontaine par la Champagne. Autant que celui de la littérature, l'analyste du vêtement doit se méfier des terribles simplifications.

C'en est une de vouloir à tout prix appliquer des lois à une aventure qui participe à la fois au magique et à l'économique, qui est anonyme comme celle du langage, comme elle soumise au consensus omnium et comme elle productrice de nouvelles formes dépourvues d'auteur. Qui a conçu le hennin? Personne. Personne non plus n'est l'auteur de l'expression *dormir à la belle étoile* que Stevenson tenait pour le plus troublant poème du monde et n'est pour les Français qu'un cliché usé par l'usage. Cette expression n'a existé, le hennin n'a existé que parce qu'une multitude en les adoptant les a faits.

Dès qu'on aborde l'origine et le développement du vêtement on entre dans un extraordinaire où l'homme apparaît à ses propres yeux comme un phénomène dans un des sens que le

Larousse lui donne : un être qui offre quelque chose d'anormal et de surprenant. Certes toute rationalité n'est pas expulsée et la découverte ou l'invention de nouvelles matières, de nouveaux supports, de nouveaux outils ou de nouveaux procédés ont influé sur l'histoire du vêtement comme sur celle de la peinture ou de la littérature. Mais voici l'essentiel : en l'absence de tout apport technique neuf celles-ci ont poursuivi le cours de leurs péripéties. L'irruption de la perspective ou de la peinture à l'huile s'est imposée, l'imprimerie a servi l'essor du roman, l'apparition de la soie, du nylon, du métier à tisser ou du tricotage mécanique a eu son importance mais aucune innovation technique n'explique ce qui sépare Proust de Balzac, Delacroix de Monet, un confident de Louis-Philippe sanglé dans sa tuyauterie noire et blanche d'un chatoyant courtisan de Charles X en bas de soie, culotte à la française et jabot.

Ne comptons pas nous en sortir en rapprochant le vêtement des arts et des lettres qui occupent un domaine où en dépit des époques et des écoles c'est la singularité d'un génie qui l'emporte alors que le vêtement est une entreprise anonyme et collective dont nul n'infléchit le cours, même les couturiers et les dandys qui ont pu en avoir l'illusion parce qu'ils donnaient des coups de pouce qui, lorsqu'ils renforçaient une tendance latente, réussissaient. Il n'y a pas de modélistes méconnus ; nous ne qualifierions pas ainsi celui qui aurait déposé le jean en 1880 ou la mini en 1905 parce que le costume n'existe à nos yeux que s'il a été porté. Nous pouvons tenir Stendhal ou Van Gogh pour les auteurs de chefs-d'œuvre méconnus par leur époque : l'art s'impose en dehors de sa réussite immédiate alors qu'une mode n'est une mode que si elle a été acceptée, fût-ce brièvement, par son temps. Pour accéder à l'existence, une mode a besoin d'avoir réussi ; elle est un fait social. Au XVIᵉ siècle les modes française, florentine, germanique, flamande, espagnole rivaliseront et sous Louis XIV ce fut Versailles qui l'emporta ; dorénavant, la mode a été française lors même que Paris jouait à s'engouer de Chine ou d'Angleterre. Ce que je viens d'écrire ne me permet de porter aucun jugement de valeur sur le vêtement français et sur les autres. Les grands faiseurs sous Louis XIV se nommaient Regnault, Gautier et quand ils étaient femmes, car les femmes débutaient alors dans la haute couture,

32

Mᵐᵉ Charpentier ou Mᵐᵉ Villenave. Pendant la seconde moitié du xixᵉ la couronne fut dominée par Worth, Redfern, Rouff. Ni au xviiᵉ ni au xixᵉ ces couturiers n'ont fait la mode, mais ils l'ont infléchie et c'est parce qu'ils l'ont infléchie avec succès que l'histoire a retenu leurs noms qui nous seraient inconnus s'ils avaient inventé des costumes que, seules, quelques personnes eussent portés. Quand ont dit de quelqu'un qu'il est distingué on n'entend point par là qu'il s'isole par son vêtement et ses manières, mais qu'il s'insère dans la catégorie des gens « distingués ».

Les Montgolfier ont conçu et fabriqué un ballon qui, pour être, n'eut besoin que de s'envoler une fois. Le vêtement dépend autant d'une répétition collective que d'une tendance individuelle à se distinguer, il doit continuellement transiger avec la morale mais il est lié à l'érotisme, il vise au beau mais il n'échappe pas à l'ennuyeuse mission de dénoncer les situations sociales. Ce serait pourtant une aussi malheureuse simplification, celle qui nous inclinerait à considérer que de sa naissance à nos jours le vêtement n'a mené qu'une folle et inexplicable vie.

IV

La variété des formes végétales a sans doute concouru à provoquer celle des édifices et des vêtements ; l'homme a regardé la nature avant de rivaliser avec elle. Dans son voyage méditerranéen Maurras mêle, parce que cela va de soi, le style des tuniques que portent les statues blessées, celui des piliers, celui des arbres et, comme Chateaubriand, il insiste sur les arbres, sous-entendant par son intérêt pour eux (pour l'antique figuier comme pour l'eucalyptus récemment importé) que le regard posé par l'homme sur leurs profils a été comblé par une variété de proliférations autour d'un thème commun, et encouragé à entrer en compétition amicale par la diversité des solutions apportées à l'exubérance d'être liés comme lui au sol et à l'air, tantôt la colonnade blanche et noire des cyprès, tantôt les branchages grimaçants des amandiers, tantôt la majesté des châtaigniers aux chairs plantureuses et aux feuilles dentées, ou encore, grise et bleue, l'écorce déchirée des eucalyptus dénudant un tronc qui a la couleur d'une lèvre, l'acharnement des oliviers dont les racines se nouent autant au-dessus du sol qu'en dessous, arbres nerveux et pâles aux troncs âpres, aux rameaux lisses, aux feuilles d'un ovale acéré dont le vent trousse les deux couleurs. Les feuilles, qu'elles soient d'acanthe ou de laurier, ont inspiré autant les brodeurs que les sculpteurs et les fruits ont aussi souvent déferlé des cornes d'abondance que triomphé autour des chapeaux féminins. Quand Poiret condamna ces chapeaux ensevelis sous les feuilles, les fleurs, les fruits, il n'entendait pas couper le vêtement des modèles végétaux mais, frère en cela de Dufy, il voulait substituer à une copie devenue servile des signes artificiels pour traduire la terre, l'eau, les moissons, les nuages, les floraisons.

Sans doute l'homme est-il resté plus près de l'animal car, se déplaçant comme lui, il a besoin de la symétrie et l'impose à ses vêtements. Encore que : le drapé antique accolait le corps dissymétriquement, au XVe les bas masculins se contrariaient par leurs couleurs [1] et les femmes n'ont guère cessé d'aimer des robes échancrées, fendues, décolletées selon une souveraine irrégularité. Destinés à demeurer inertes il est des palais et des arbres d'une symétrie presque rigoureuse, et, destinées au mouvement, des robes découpées par le caprice.

Apparence, le vêtement incline à s'entendre avec les autres apparences. Peintres, sculpteurs et potiers crétois raffolaient du galbe. Le gonflé, le sinueux, l'arqué les inspiraient et sur les hanches peintes des vases les représentations de la femme alternent harmonieusement avec celle des algues, des palmes, des cornes en lyre, des filets de pêche, des pieuvres. La jupe crétoise est rebondie, évasée par des cerceaux et des superpositions de volants alors que la taille est étranglée par un corset qui soutient des seins nus de manière à les presser, à les ériger, à les glorifier. L'entente est parfaite entre les formes offertes par l'art et par le costume féminin. De même, alors que la Grecque du VIIIe siècle se vêt seulement d'un rectangle de tissu sans couture ni ourlet, l'ingé-

---

1. Et la dissymétrie dans le vêtement est une des rares trouvailles que la mode pourra s'offrir dans les années qui viennent.

niosité consiste à guider la chute et les plis de ce morceau d'étoffe qui suit deux styles très voisins, celui du péplos dorien, celui du chiton ionien, le premier franc, brutal, un peu lourd comme une colonne d'ordre dorique et le second plus chargé et plus précieux, pareil à la colonne ionique. Ces rapprochements sont si constants que je ne m'en vais pas les énumérer ; on les retrouve aussi bien à Rome qu'au Moyen Age quand le hennin et la flèche des cathédrales s'effilent ensemble dans l'air ; sous la Renaissance, les hanches des femmes élargies par le vertugadin font saillie tout comme les pignons, les tourelles, les toitures débordantes, puis, sous Louis XIII, les lignes se simplifieront en même temps dans le vêtement et dans l'architecture. Au XVIIIe, le panier en gonflant les robes les harmonie au mobilier et le même accord se répète à travers les styles sous Louis XVI, pendant le Directoire et l'Empire, pendant la Restauration et le Second Empire. En 1900, le corset donne à la femme la forme d'un S qui inspire les broches, les vases de Gallé et les entrées de métro. Inutile de se demander si les couturiers se sont modelés sur les architectes, les sculpteurs, les ébénistes ou si le contraire s'est produit : les formes naissent de l'air du temps. C'est lui qui, dans des domaines indépendants les uns des autres, invite les apparences à se refléter. Il est évident que le mouvement du vêtement, s'il est capricieux et prouve volontiers son autonomie — apparition de la mini en un moment où les autres formes ne se modifient pas —, reste en relation avec les courants de l'esthétique, mais en relation seulement, car le vêtement ne vise pas seulement au Beau.

Il n'est pas un objet extérieur à l'homme comme un fauteuil ou une colonnade : il fait corps avec lui. Il collabore avec la physionomie, le maintien, la parole pour donner de celui qui le porte une représentation que les autres jugent. Né d'une exigence magique, il a vite accepté, sans pourtant renoncer à son instinct, de remplir, tigre à moitié apprivoisé, des tâches et, parmi elles, de désigner la condition sociale. En Égypte le vêtement prit aussitôt une valeur significative. Il y eut identification entre le rang, le pouvoir, la compétence d'un homme tels que la société les lui reconnaissait et la physionomie de son vêtement. Si l'esclave avait seul le droit de vivre nu c'est qu'il ne représentait rien d'autre que lui-même. En regard, la longueur d'une tunique, sa couleur, le remous de ses plis étaient autant de marques qui désignaient une caste. Un homme de condition élevée aura le droit, sous sa tunique, de porter un pagne et par là d'inventer le jupon, c'est-à-dire le premier dessous que nous rencontrons et qui est dû, non à un goût de l'hygiène ou à une crainte du froid, mais au sens social. Un peu plus important, il portera deux jupons et aura droit à un chasse-mouches en plumes d'autruche blanches quand il pourra se qualifier officiellement d' « ami du roi ». Du Moyen Empire à la fin du XIXᵉ siècle, le vêtement conservera cette mission honorifique. Tantôt les lois, tantôt et surtout l'usage veilleront à maintenir le rôle révélateur des apparences vestimentaires. En marge de son aventure, le vêtement est resté l'agent d'une sémantique sociale[1]. Au Moyen Age chaque classe, chaque métier, l'âge même, sont désignés par un uniforme particulier, bref tout le monde était en uniforme sauf les militaires. Sous la Renaissance l'un des buts, sinon le but des lois

1. La personnalité d'un pape disparaît sous l'empire des vêtements sacrés pour que seul un principe apparaisse à nos yeux. Il en est de même pour le clown qui ne doit pas être un individu mais *le* clown ; le masque de fard camoufle même son visàge.

somptuaires, était d'empêcher les courtisanes et aussi les bourgeoises enrichies de montrer le même luxe que les aristocrates et Montaigne, qui a ses accès de puritanisme, leur reproche de ne pas agir à l'inverse et de ne pas interdire le luxe aux gens de bien pour le réserver aux fripons : « La loi devrait dire, au rebours, que le cramoisi et l'orfèvrerie est défendu à toute espèce de gens, sauf aux bateleurs et aux courtisanes... aux putains et aux rufians [1]. » Le port de l'épée, du rhingrave, l'emploi du fard furent l'objet au XVIIe de règlements qui étaient plus ou moins appliqués mais, sans règlement aucun, sans contrainte, le costume devait poursuivre son emploi de flic social. Fût-ce à la coiffure, il était facile au début du siècle de distinguer, porteurs de hauts-de-forme, de melons et de casquettes, la haute bourgeoisie, la moyenne et le prolétariat. Aujourd'hui le zèle dénonciateur du vêtement s'est atténué, le même jean peut être porté à l'occasion par l'ouvrier de Renault et l'énarque qui veille aux

1. Opinion partagée par Henri IV qui, après avoir ordonné à *tous* ses sujets de se vêtir avec simplicité, ajoute que son ordonnance ne s'adresse pas « aux filles de joie et aux filous en qui nous ne prenons pas assez d'intérêt pour leur faire l'honneur de donner notre attention à leur conduite ».

destinées de l'entreprise, mais enfin chez Lipp, à l'heure du déjeuner, le port ou l'absence d'une cravate conserve une signification.

Encore cette signification est-elle difficile à préciser. La cravate peut aussi bien désigner un ministre ou un avocat qu'un petit employé de bureau et peuvent aussi bien s'en dispenser un play-boy, un cinéaste, un journaliste mais aussi le vendeur d'un magasin de confection. La cravate ne révèle plus une place dans la hiérarchie sociale mais l'appartenance à des milieux où le négligé est considéré comme de bon ou de mauvais ton.

Il y a des virages dans l'histoire du costume qui reflètent les velléités non formulées d'une époque. Sous le règne de Louis-Philippe il s'est produit une révolution dans la vêture masculine qui, tout à coup, a renoncé à la couleur et à l'éclat. Le goût du somptueux, la recherche ostentatoire de l'élégance devinrent en quelques mois une inélégance. Quant à la distinction elle n'exigea plus que l'art d'être parfait dans la correction. L'homme paré de vives et multiples couleurs, de bijoux et de dentelles cède la place à l'homme noir, noir comme le charbon et l'encre dont la société industrielle qui vient de naître se repaît. Nouvelle classe dirigeante, la bourgeoisie tient à inspirer la confiance et le respect notamment par la sobriété irréprochable de sa tenue. D'abord le banquier, le médecin, le ministre, limitent le port du noir aux heures graves qu'ils passent dans le bureau et, en soirée, recourent encore aux couleurs chatoyantes et aux tissus somptueux, du satin à broderie de velours au damas et au brocart. Stendhal a publié en 1830 *Le Rouge et le Noir* où le marquis de la Mole invite Julien Sorel, son secrétaire, à troquer sa tenue sombre contre un habit bleu quand il veut bavarder avec lui en ami. Cette page, il ne l'aurait plus écrite en 1835 où les journaux de mode protestent avec la véhémence impuissante du désespoir contre un nouvel usage qui veut qu'on paraisse à la promenade dans les salons au théâtre « en vêtements de travail ». On dénonce en vain un scandale qui devient déjà une règle : « aller au bal en habit noir comme on va à un enterrement. » La largeur plus ou moins réduite d'un pantalon et des pans d'un habit peut seule permettre à un tailleur de montrer son originalité. Les journaux de mode qui, à l'arrivée de Louis-Philippe, consacraient autant de pages aux vêtements des hommes qu'à ceux des femmes, à sa chute n'accordaient même plus une ligne à la toilette masculine. Le vêtement ne suit donc pas toujours la tentation du Beau ; il peut même renoncer délibérément au Beau pour exprimer seulement l'image morale qu'une société veut donner d'elle. Le long règne de la respectabilité victorienne contribuera, pendant plus d'un siècle, à obtenir de l'apparence vestimentaire des bourgeois qu'elle symbolise l'austérité puritaine dont le libéralisme a besoin pour fonder son autorité.

La rupture de 1835 n'était pas prévisible. Le bourgeois s'inspirait souvent de l'Ancien Régime ; il imitait le noble, se battant en duel comme lui, embrassant également la carrrière des armes, briguant l'anoblissement dès que ses charges lui en permettaient l'espoir, achetant un château pour peu qu'il en eût le moyen. Aussi bien aurait-il pu se laisser gagner par le goût du beau et du somptueux qui avait animé les anciennes cours et qui exaltait toujours les romantiques. Or, il a préféré renchérir sur la rigidité et l'ascétisme pour se donner l'apparence qu'il croyait convenable à son aventure.

Il en est des mutations du costume comme des mutations des espèces animales : les unes et les autres sont imprévisibles mais, après qu'elles ont eu lieu, elles semblent explicables. Ces explications valent ce qu'elles valent mais il n'est pas présomptueux de les avancer. L'esprit occidental, et encore ne serait-il pas déplacé de le lier ici à la sensibilité, est ainsi fait qu'il a besoin du changement pour le changement mais qu'il a également besoin de toujours pouvoir le justifier. On a justifié les impressionnistes par le pouvoir de la photographie, ils ont fini par le croire et, s'insurgeant contre eux, Matisse et Picasso croyaient s'insurger contre les photographes. Peut-être en viendra-t-on à considérer que la cause ne précède pas toujours l'effet, comme il va de soi dans la logique traditionnelle, mais peut lui être postérieure ; il s'est trouvé des linguistes pour soutenir qu'en latin le présent de l'indicatif est noué au passé alors qu'en grec il est entraîné par le futur. J'ai appris, sans y comprendre grand-chose, que des physiciens contemporains agitent le problème de savoir si les causes ne sont pas dans l'avenir. Je les évoque seulement parce que toute tentative de rationaliser l'histoire du vêtement est vouée à l'échec dans l'état actuel de notre raison et que, si nous voulons bien l'admettre dans l'histoire du roman ou de la peinture dont le cours est modifié par l'apparition de génies singuliers, cet échec surprend davantage dans un domaine où les initiatives individuelles n'ont guère compté, gouverné qu'il est par l'usage, pareillement à la langue qui, elle, a offert une évolution permettant la mise en évidence de lois. Je ne veux pas dire que des lois expliquent la totalité du langage car l'évolution d'une racine sanscrite à travers les diverses sociétés indo-européennes contient toujours une part romanesque d'imprévisible mais, de beaucoup de points de vue, en phonétique par exemple, des lois se dégagent et s'imposent. Au contraire, on n'est guère avancé lorsque l'on constate que le vêtement a tantôt été inspiré par le beau, tantôt par son zèle à imager une société. Des lois on peut en énoncer quelques-unes mais non sans reconnaître au préalable qu'elles sont d'une portée bien réduite.

V

L'invention du vêtement fut une invention parallèle à l'invention de la religion, limitée au siècle alors que la seconde se limitait à l'éternité. Religion du mouvement, le vêtement est raison quand il prétend fonder ce sur quoi le progrès de l'humanité s'affirmera, à savoir que l'homme est en partie extérieur à la nature ; il est folie, ou invite du moins à se demander si l'extravagance de ses variations ne confine pas à une certaine fureur, quand il cultive le changement jusqu'à la frénésie. De la modification ou de la naissance d'un détail vestimentaire on ne saurait avancer qu'elle est pratique ou au contraire irrationnelle sans risquer de se tromper. Montaigne a suggéré que si l'on cache une région du corps c'est pour mieux attirer l'attention sur elle, ce qui est souvent vrai et souvent faux. Bref, l'aventure qui nous occupe est anomique, comme celle du roman. Tantôt elle tolère des lois tantôt elle les ignore. Et lors même qu'elle tolère des lois elle en limite la durée, comme le roman, et les enfreint comme lui. Le roman et le vêtement se sont développés grâce à l'existence de régions non boulonnées dans notre société. L'anomique ne signifie pas absence de loi ; ce mot laisse seulement entendre que certaines entreprises humaines peuvent jouer comme une boiserie joue. Le flou n'est pas une négation des règles, il n'en dénonce que le flottement et l'atténuation. Il constitue à lui seul un domaine à travers lequel, aussi bien dans le roman que dans le vêtement, notre sensibilité, dont l'histoire reste à éclaircir, s'est déployée.

On peut tenir pour une loi cette constatation : depuis le XIXᵉ siècle un costume sportif tend à devenir assez vite un costume de ville. Une tenue de chasseur, d'automobiliste, de joueur de golf, de yachtman a toujours fini par être portée dans un salon ou un bureau. Descendu de son bateau le yachtman conserve casquette et blazer le plus longtemps possible afin de laisser apparaître sa supériorité et du coup il incite à l'imiter ceux qui n'ont jamais pratiqué la mer. Les premières femmes cyclistes portèrent des pantalons vastes et bouffants qui s'inspiraient à la fois du *bloomer,* du *divided-shirt,* de la culotte de zouave et de la livrée du harem. Ce vêtement excita l'imagination des hommes, habitués qu'ils étaient à ne voir la femme que dans une robe ; ils le baptisèrent « blouse à jambes », « robe-pantalon », la « séparatiste », la « jambe à part », la « robe androgyne », la « robe-monsieur ». Cette nouveauté provoquait des chansons gaillardes et sous des dessins complaisants des légendes grivoises, et toujours des regards attentifs. Elle ne parvint pas à s'imposer comme tenue de ville parce que le cyclisme s'étant popularisé, de l'exhibition d'un pantalon nulle ne pouvait attendre le moindre éclat. Ce fut donc du style sportif des vacances — elles étaient encore un privilège — que le costume féminin s'inspira pour évoluer. Le tennis appelait une jupe écourtée, des talons plats, un corset souple, et l'escalade des montagnes, encore que de nombreuses ascensions du mont Blanc aient été réussies en jupe, conduisait à un pantalon de drap. Un peu après apparaissent la culotte de cheval, le pantalon de pêche, le pantalon de ski. L'effort conservateur de la société tendait à empêcher les sportives

48

d'exhiber leur nouvelle tenue ailleurs que sur le théâtre de leurs exploits, mais vainement.

Depuis la fin du XVIIIᵉ siècle, on peut aussi tenir pour une loi la prolétarisation du costume bourgeois. Le pantalon du terrassier, du pêcheur, du débardeur, se substitue sous la Restauration à la culotte à la française et est porté par des rois. Après un long règne, le haut-de-forme et le melon, qui isolaient une classe, disparaissent. En certaines circonstances le mondain tire même du port de la casquette une satisfaction aristocratique et dans l'ensemble tout le monde se retrouve tête nue. La chemise molle de l'ouvrier a triomphé du col amidonné, du plastron glacé, des manchettes empesées. Récemment, l'engouement pour les complets et les manteaux de cuir, la généralisation du jean à la terre entière ont montré que la prolétarisation du costume se poursuivait et que son élan ne saurait plus être limité que par l'impossibilité où se trouveront les stylistes de cueillir dans la garde-robe de l'ouvrier d'autres traits distinctifs à piller.

Autre loi : ce qui est porté par l'enfant est souvent adopté par l'adulte. Sous l'influence de la Contre-Réforme et de Jean-Jacques Rousseau réunis pour une fois, l'enfant fut au

XVIIIe considéré comme un être à part. Sous Louis XIII les enfants étaient habillés comme leurs parents et l'on ne baissait nullement la voix pour développer devant eux des propos scabreux. L'univers enfantin ayant été institué et consacré comme celui de l'innocence, il alla de soi que son costume se distinguât et l'on en chercha l'inspiration dans les tenues campagnardes. Alors que son père était encore en bas de soie et en culotte à la française, le petit garçon portait des pantalons de drap que l'élégance adulte n'était pas encore disposée à adopter[1] ; très vite, on le vêtit en matelot et dans mon enfance le costume marin uniformisait encore les gosses. Quant aux filles, elles furent dispensées du pouf, de la crinoline, du corset et portèrent des jupes plus courtes que leurs mères. Pendant la première moitié du XIXe elles furent presque les seules à nouer sous

1. Corrigeant ces pages je tombe dans *Le Monde* du 14 mars 1979 sur un article annonçant la mode masculine de printemps, où l'auteur, Florence Breton, signale comme une nouveauté que « le style lycéen a gagné les adultes », et que l'élégance s'inspire du « bourgeron de travail en toile de bâche ». Bien que l'infantilisation et la prolétarisation du costume soient un phénomène déjà ancien on n'a pas cessé d'en présenter, chaque fois, les effets comme le produit d'une tendance neuve, originale, propre à une époque.

50

leurs chemises un pantalon de dessous aux manches festonnées.

Ce pantalon était d'origine anglaise et hollandaise et, dès la fin du XVIIIᵉ, il avait été porté dans les pays puritains par les servantes quand elles étaient obligées de monter sur un escabeau puis par les patineuses et les chasseresses, ce qui, la loi de sportivisation du costume jouant, en avait même permis l'usage dans les salons. Il apparut brièvement à Paris au printemps 1807 mais, objet de réprobation, il ne fut plus porté, au bout de quelques mois, que par les putains et les petites filles. A Rome déjà le *subligaculum,* après avoir été porté par les acrobates et les danseuses, le fut par les filles jeunes qui, grâce à cette pièce d'étoffe qui passait entre les cuisses et se nouait à la taille, se donnaient une liberté de mouvement et il avait fini sous la tunique des courtisanes. Au XIXᵉ les filles, selon la classe sociale à laquelle elles appartenaient, subissaient le pantalon jusqu'à leur première communion ou jusqu'à leur mariage. Ce fut au temps des crinolines que les femmes s'en affublèrent à leur tour. Avant la guerre de 14 les petites filles portant des jupes assez courtes et l'usage ayant cessé de laisser entrevoir le pantalon, celui-ci rétrécit et devint une petite culotte qui annonçait celle que la femme de 1925 porta sous une robe courte. Le short aussi devait d'abord être porté par les enfants, ensuite par les adultes.

Une expression qui semble dater de Zola avait encore cours dans mon enfance où l'on disait une *femme en cheveux* pour décrire et juger à la fois le débraillé prolétarien d'une passante qui osait se hasarder sans chapeau hors de chez elle. Le chapeau est aujourd'hui une parure, un accessoire, qui intervient à l'occasion et, dans la vie quotidienne, les femmes se déplacent tête nue. Que les ouvrières, les sportives, les prostituées, les fillettes les aient précédées confirme dans un seul mouvement les quatre tendances que j'ai isolées. Mais ces tendances qui sont limitées dans le temps, à peine deux siècles, et qui infléchissent à peine l'axe de la mode, ne pourraient être qu'abusivement érigées en loi.

On ne saurait tenir davantage pour lois des constatations aussi banales que celles qui relient les trouvailles de la mode à celles de l'art, ou celles qui montrent les gens riches et puissants enclins tantôt à exhiber l'étendue de leurs moyens par la somptuosité de leur habit, tantôt à y renoncer pour jouer à la simplicité.

Une seule fois j'ai éprouvé l'illusion de rencontrer une loi en rencontrant un mouvement qui ne ressemblait à aucun autre parce qu'il se poursuivait sur deux millénaires et demi et qu'il a toujours visé un but : distinguer de plus en plus rigoureusement le paraître de l'homme et celui de la femme.

VI

Dans un autre livre où, en prenant pour point d'appui un autre thème, j'abordais l'étude du flou, j'ai raconté qu'à l'âge de douze ans j'avais été troublé par une fille nommée Frédérique parce qu'elle portait un prénom qui était phonétiquement masculin et des jupes. La féminité, dès mon enfance, m'avait été signifiée par le flottement d'une jupe, le volant d'une combinaison, la longueur d'une chevelure. Petit, je croyais même que ces détails différenciaient seuls une fille d'un garçon. Chahuter une jupe, tirer les cheveux, furent mes premiers gestes d'agressivité sexuelle parce que la société à laquelle j'appartenais avait réussi à imposer comme naturel un artifice qui donnait au vêtu un pouvoir de révélation sexuelle égal à celui du nu, et même plus intense.

Au théâtre d'Épidaure, que j'avais connu désert sous des soleils ardents d'hiver, courbe carnée allongée dans une toison de verdure sèche, je retrouvai, par un soir d'été, les gradins de pierre enfouis sous une foule de spectateurs dont les uniformes touristiques dissimulaient un peu les origines nationales qui étaient multiples. Par des guides, des programmes, des dépliants, ils avaient appris le sujet de la pièce. On représentait *L'Assemblée des femmes* d'Aristophane. Dès le premier acte les femmes entrent en compétition avec les hommes en revêtant des costumes masculins. Cette transformation resta inintelligible pour le public.

La représentation avait lieu en 1972. Les trois quarts des spectatrices étaient empantalonnées dans des jeans, mais subsistaient des jupes et des robes et surtout la notion de la jupe et de la robe. Il restait évident pour les Européens ou européanisés qui étaient assis sur les gradins que passer du vêtement féminin au vêtement masculin c'était substituer à l'ouvert le fermé, alors qu'à l'époque d'Aristophane la distance entre le vêtement masculin et le vêtement féminin, tous deux flottant, était encore légère. On citait même le cas d'un poète dont la garde-robe était si pauvre que sa femme et lui ne disposaient que d'une tunique avec laquelle ils sortaient alternativement. Seuls des détails annonçaient une volonté de différenciation : les accessoires (chaussures, coiffures, fibules), les nuances des tissus, le plissé.

Pour l'Égypte, la Grèce, Rome, l'Occident au début du Moyen Age, un seul système existait à l'usage de la femme et de l'homme, le système ouvert. J'entends par là celui qui n'est pas rigide mais mobile, qui n'enferme pas le corps et le laisse en relation avec l'air, pour simplifier[1] disons : la robe — comparée au pantalon.

De celui-ci les Grecs n'ignoraient point l'usage. Peut-être l'avaient-ils porté lorsque, envahisseurs, ils étaient apparus sur les bords de la Méditerranée. Ils ont rencontré la silhouette assujettissante chez des voisins qu'ils considéraient comme barbares, notamment chez leurs ennemis les Mèdes. A Athènes, les esclaves scythes qu'ils employaient comme flics portaient des pantalons ; ils étaient dénommés Anaxyrides et représentaient tout bonnement la sauvagerie. En se moquant de ces agents de police aux jambes et au bassin empaquetés les

1. Pour simplifier, car *robe* au Moyen Age commença par désigner le vêtement masculin.

Athéniens ne pouvaient se douter qu'ils prélu-
daient à une aventure de la sensibilité qui est
peut-être l'une des plus longues et des plus
obscures de l'histoire.

D'abord le costume ne changea que lentement et ne tendit à distinguer hommes et
femmes que sur des détails. Les Grecs n'ai-
maient pas inventer, mais découvrir. Les lois
mathématiques, physiques, juridiques, artisti-
ques auxquelles ils parvenaient n'étaient pas
des nouveautés pour eux mais des secrets enfin
arrachés à la nuit. Les nouveautés vestimentaires les dérangeaient parce qu'ils ne pouvaient
les lier à des idées générales. Le seul recours
était d'imaginer ou d'interpréter une fable pour
qu'elle justifiât toute modification vestimentaire. Quand les femmes se singularisèrent en
adoptant, velléité de dessous, le port de quelques bandelettes autour des hanches et sous les
seins, ils se persuadèrent qu'autrefois le *zona*
avait été lui aussi porté par les hommes et que,
s'ils l'avaient abandonné, c'est parce qu'un
athlète avait brillamment gagné une course au
cours de laquelle il avait perdu son *zona*..
Quand les femmes préférèrent une tunique de
lin cousue sur les épaules et non plus retenue
par des fibules en forme d'agrafes et d'aiguilles,

on prétendit que les Athéniennes s'étaient
servies de ces armes cruelles pour déchirer le
corps d'un messager. Des siècles s'écoulent
sans que les costumes de l'homme et de
la femme s'engagent chacun vers un destin
contraire. On joue, seulement.

Les dessous différaient. Mais le thème capital de l'éthique et de l'esthétique du vêtement
méditerranéen subsistait puisque celui-ci, pour
les hommes comme pour les femmes, était
toujours ouvert et flottant et qu'il exigeait
autant pour les hommes que pour les femmes
d'être contrôlé, contenu et rectifié par la main ;
le dernier geste de César mourant est de
rassembler autour de lui les plis de sa toge,
c'est un geste de pudeur qui serait aujourd'hui
propre à une femme.

Mais l'Empire romain, obligé de combattre
ou de contenir des Barbares asiatiques, nordi-
ques, océaniques, donna le premier signe de
son déclin en laissant s'introduire dans son
vêtement certaines formes ajustées, fermées
autour du corps, qui lui étaient inspirées par
ses ennemis. Alors que les Grecs n'avaient pas
quitté la robe pour combattre des Mèdes en
pantalon et n'avaient toléré celui-ci que sur des
esclaves chargés de la police, les militaires

romains, d'abord les cavaliers, bientôt les fantassins, adoptent sous l'Empire le costume de leurs adversaires gaulois, germains et autres, tous porteurs de pantalons. Les civils conservent encore la robe mais les militaires adoptent le système fermé. Quand le succès des grandes invasions entraîne un brassage entre envahisseurs et envahis les deux styles de costumes tendent à se mélanger. Souvent le chef barbare, par vanité, adopte la toge. Il arrivera bientôt que la robe s'entende avec le pantalon et flotte autour de lui. Par pantalon j'entends tout système fermé ajusté, qu'il s'agisse des braies ou d'un combiné de haut-de-chausses et de bandes molletières, de culottes et de bas, peu importe. En gros il se passa ceci : les Latins enfilèrent un pantalon sous leur robe, les Barbares une robe par-dessus leur pantalon. De Rome à Aix-la-Chapelle et à Hippone les hommes renoncent à l'ensemble des sensations corporelles que provoque le pur flottant et se condamnent à l'étreinte du tuyautant. Pendant un temps la robe dissimulant le pantalon, le costume masculin continua d'offrir les mêmes apparences que le féminin, mais une coupure s'était produite. Il arriva que des Gallo-Romaines, à l'instar des Vandales, portassent sous la robe ce que l'évêque Victor de Vita appelait une *feminalia,* culotte qui atteignait le genou, mais l'usage ne s'en généralisa pas. En Allemagne et en France les femmes de l'aristocratie furent parfois représentées avec des robes longues largement fendues sur le devant qui laissent voir des cuisses gainées par des braies mais c'est épisodique. La femme, sauf exception, reste nue sous ses deux robes, bref, au moment où l'homme le trahissait, la femme restait fidèle au costume de l'Antiquité.

VII

La seconde partie du Moyen Age, celle qui suit le XIe siècle, forme une époque en elle-même que je suis enclin à désigner sous le nom de *Nouvel Age*. La littérature française apparaît enfin avec les chansons de geste, les fabliaux, les mystères, les traités de théologie, le roman courtois; les croisades réalisent des rêves tumultueux; le patriotisme fait ses débuts, les corporations s'organisent, l'architecture se renouvelle avec l'épanouissement du roman et le jaillissement gothique. Le couple, comme l'a dit Seignobos, est une invention du Moyen Age. Une société nouvelle découvre que l'homme et la femme sont, par les formes de leurs corps et les ressorts de leur sensibilité, différents l'un de l'autre et que leur entente ne peut s'établir spontanément; elle suppose d'abord la poursuite d'un dialogue verbal et sensuel durant lequel deux êtres encore étrangers savourent et surmontent une à une les différences qui les séparent, ce qui est le thème du *Roman de la Rose*. L'Antiquité et le premier Moyen Age avaient tout juste soupçonné que les premières approches, ces « premiers serrements de mains » qui feront battre le cœur de Stendhal, le lent développement d'un sentiment partagé ou non, la progression qui, du premier regard, peut conduire à la possession étaient une étape capitale de l'amour. Cette vue neuve a ensorcelé une époque. L'amour se présente hérissé de difficultés, contrarié par la nature des choses comme par les destins individuels. Il est une succession d'épreuves que l'homme et la femme de son côté doivent vaincre et parfois provoquer. C'est parce que l'essence de l'homme est opposée à celle de la femme que l'accord est si difficile, si délicieux. C'est degré par degré, selon un processus où la durée a une valeur en soi, que chaque région du corps et de l'esprit de l'aimée est atteinte par le soupirant. La progression des épreuves a une valeur sentimentale mais elle constitue surtout un apprentissage érotique très savant, nouveau, moderne, durant lequel l'homme est longtemps maintenu dans une situation de *voyeur*. Le costume ne pouvait manquer de jouer un rôle important dans ce jeu qui poussait jusqu'à ses extrêmes le culte de la différenciation sexuelle.

Parce que la robe portéé par les hommes — même les chevaliers en cotte de mailles — rapprochait leurs silhouettes des silhouettes féminines, cette robe — sauf à Byzance — ne cessera de raccourcir du XIe au XVe siècle et la conjuration qui s'est produite entre le bas-de-chausses, le haut-de-chausses, le braier, aboutit à une culotte collante qu'aucun système flottant ne dissimule. L'homme est celui qui porte la culotte, la robe reste à la femme. Cette époque a sexualisé triomphalement le costume.

Les modes féminines se contredisaient dans leurs détails. Les robes tantôt raccourcirent, tantôt allongèrent. La femme du XIIe à la poitrine rebondie et aux hanches amples n'est pas celle du XIIIe dont la poitrine est plus haute et la taille soulignée. Pourtant, en dépit de régressions momentanées, la tendance à l'allongement reste constante ; constante aussi la volonté des femmes de révéler, vêtues aussi parfaitement que nues, certaines régions du corps qui, pour un temps, étaient érotiquement privilégiées, le ventre par exemple dont le galbe à la fois bombé et fuyant, typiquement femelle, est souligné par la coupe et la nature du tissu au point que le creux du nombril est discernable. Déjà la dissimulation a acquis une charge érotique égale à l'exhibition et quand le Moyen Age se passionne pour les bras il les cache jalousement dans des manches indépendantes de la robe, ce qui permettait aux dames d'en avoir des collections et d'en faire parfois à un chevalier l'intime et audacieuse offrande. Le fétichisme (c'est-à-dire la préférence de la partie au tout) date de l'âge nouveau. Le vêtement ou le dessous féminin ne cesse de se compliquer. Entre la *chainse* et le *bliaud* de l'époque carolingienne vient d'abord se glisser le doublet, court corsage qui annonce le corset. Quand le doublet finira par être porté pardessus la robe et alourdi de fourrures qui le font baptiser *peliçon* apparaîtra le *jipon,* corset qui aplatit les seins pour donner toute sa valeur au ventre, monument de la féminité. Le vêtement continue de se compliquer avec le bandeau qui enserre la taille, la futaine, et le blanchet, longue camisole qui tire son nom de sa couleur, puis la cotte, tunique courte à larges manches qui, parce que lacée, entre dans l'histoire du corset. En outre, à la chemise sont suspendus des coussinets destinés à gonfler les hanches et ménager une transition entre la taille et les seins. Cette énumération est déjà exubérante, encore faut-il lui ajouter, sur un corset qui s'allonge, une floraison de collerettes, les gorgerettes en gaze et le tassel qui annonce la gaine. Au XVe, quand le décolleté révèle les épaules et en partie les seins, les robes s'allongent en traînes qui exigent un troussoir, crochet de fer fixé à une cordelière sur lequel s'enroule la traîne. Ce dessous excitait l'imagination des poètes à l'égal du corset auquel Olivier de la Marche consacre un poème entier. Toute la lingerie qui épouse le corps féminin stimule l'inspiration masculine que porte à son comble la vogue des tissus transparents. Ceux-ci safranés, dorés, ou couleur crème font fureur, notamment dans la fabrication de chemises sous lesquelles les femmes, à la fois vêtues et révélées, provoquent l'enthousiasme mâle. Poètes et prosateurs ne se lassent pas d'exalter la vertu du transparent, le plaisir de contempler « sa chair et la façon de son gentil corps tout apparente ». La jarretière prend une valeur érotique particulière qu'elle gardera dans les noces de campagne jusqu'au XXe siècle. La duchesse d'Orléans, devenue veuve en 1455, commande à son orfèvre d'orner de

65

larmes et de pensées émaillées les seize petits besants de ses jarretières. Bientôt Rabelais, au nombre des élégances des dames de Thélème, signalera la passion grivoise qui les pousse à assortir leurs jarretières à leurs bracelets.

C'est seulement pendant le Nouvel Age que l'Occident, comme s'il fût devenu enfin pubère, cessa de s'étonner qu'il y eût sur terre non seulement des hommes mais encore des femmes, découvrit que leurs relations étaient un des problèmes les plus importants que nous pose l'existence et s'attacha, dans les mœurs et dans la littérature, à raffiner sur les nuances psychologiques qui séparaient les deux sexes, sur les obstacles qui devaient retarder leur union et, par le vêtement, à dénoncer ces différences, à matérialiser ces obstacles.

Entre le XIe et le XIIIe la chemise de nuit disparut. Avant, elle s'était imposée presque sans défaillance. Les Grecques conservaient en se couchant leur chemise de jour. Lorsque les tuniques se dédoublèrent ce fut l'intérieure que l'on conserva pour la nuit. C'est sans doute sous la Rome impériale que, par souci de porter du linge frais, des tuniques furent uniquement affectées à l'emploi de chemise de nuit et leur coupe dut se distinguer car, dans les trousseaux de l'époque carolingienne, les unes et les autres sont énumérées dans des chapitres différents. Le Nouvel Age la rejeta parce qu'après une longue suite d'obstacles que le vêtement symbolisait, seule la nudité pouvait enfin prouver la victoire des corps, différents et unis.

Le port d'une chemise au lit a, au Moyen Age, une signification aussi nette que le fait de la retirer. Lancelot, poursuivi par les assiduités de sa maîtresse, garde sa chemise en se couchant — et prouve ainsi qu'il est décidé à se refuser. L'association entre l'abandon de la chemise et l'acte amoureux est tel que l'expression « coucher nu à nue » signifie faire l'amour. Au XVIᵉ siècle, lorsque de nouveau on dormira vêtu, du moins la cérémonie des noces exigera-t-elle que, pour la première nuit, les deux époux soient dépouillés. Et pendant longtemps subsistera la formule sceptique : « Voici une promesse qui ressemble assez à celle d'une mariée qui entrerait au lit en chemise. » Dans une farce de la seconde moitié du XVIᵉ une mère, à qui sa fille se plaint d'être encore vierge après sa nuit de noces, demande aussitôt : « Fist-il despouiller ta chemise la première nuict qu'il t'espousa ? »

VIII

La passion de distinguer l'homme et la femme par le vêtement avait été découverte et portée à son paroxysme par le Nouvel Age, mais elle lui a survécu. Cette dichotomie s'est affaiblie pendant la deuxième moitié du XXᵉ siècle mais ne s'est qu'affaiblie. Sauf les religieuses, toutes les jeunes femmes d'aujourd'hui portent à l'occasion ou très souvent des pantalons mais il n'en est aucune qui, à l'occasion ou très souvent, n'ait pas porté de robes ou de jupes. Parmi les filles qui, au théâtre d'Épidaure, assistaient à la représentation de la comédie d'Aristophane, la plupart étaient en jean mais beaucoup en robe alors qu'aucun homme ne se serait avisé d'en porter une. Si les spectateurs ne comprenaient pas le début de la pièce c'est que pour eux la robe et le pantalon étaient toujours les symboles de la femme et de l'homme comme ils le sont d'ailleurs dans les cafés et les cinémas sur les portes des toilettes. Du XIᵉ siècle au nôtre un mouvement continu a divisé les garde-robes des deux sexes et parfois jusqu'à leur comportement et à leur vocabulaire. Ici je rencontre un problème qui est un défi. Si j'ai pu considérer comme épisodiques les rapports qui, à l'occasion, se sont noués entre le costume des ouvriers et celui des bourgeois, entre celui des adolescentes ou des prostituées et celui des bourgeoises, je ne peux que considérer avec un certain effroi le nombre de siècles pendant lequel s'est poursuivie jusqu'au moment où j'écris une conjuration sans conjurés qui a eu pour but de démontrer dans les apparences quotidiennes que l'homme et la femme étaient différents. Comment examiner un complot qui n'a pas d'instigateur et qui, ébauché dans l'Antiquité, se déploie du XIᵉ au XXᵉ sans initiés et sans complices. J'ai tenté très hasardeusement d'associer pendant le Nouvel Age une tendance sentimentale et sensuelle à une tendance vestimentaire. Mais au Moyen Age ont succédé la Renaissance, le règne du classicisme, la Révolution, l'Empire, la Restauration et le romantisme, l'apparition de la monarchie bourgeoise et industrielle qui se poursuit à travers l'aventure d'un Napoléon III et la Troisième République puis, à travers révolutions et guerres, l'irruption de nouveaux systèmes économiques et politiques et pourtant, quels que soient les virages de la sensibilité, le courant fondamental qui départageait les apparences masculines et féminines a poursuivi son flux avec le même élan religieux. Tout s'est passé comme si, à la fin du XIe siècle, une décision secrète avait été prise, celle de distinguer, autant qu'il était possible, le *paraître* de l'homme et de la femme. Tout s'est passé comme si de génération en génération le mot d'ordre, le mot de passe, l'objectif secret, avaient été transmis et répercutés tout au long du flux des siècles. Nous savons qu'il n'en est rien. Aucune décision n'a été prise, aucun ordre de mission n'a été transmis. Jamais la conscience de l'Occident n'a reçu une information qui lui permît de penser ou de croire que la vocation de distinguer sexuellement les paraître était sienne. Rien ne s'est passé comme si, tout s'est passé comme ça.

Et tout s'est passé ainsi : la Renaissance et l'âge classique, bien qu'ils se présentent à nous comme une rupture avec le Nouvel Age, ont poursuivi son entreprise vestimentaire. Sous la Renaissance, Catherine de Médicis et les dames de la cour avaient bien tenté d'entraîner les femmes au port d'un costume ajusté et fermé ; elles avaient inventé le caleçon qu'on appelait plus familièrement *bride à fesses* et qui lié autour de la taille moulait les cuisses jusqu'aux genoux au-dessus desquels une jarretière l'attachait aux bas. C'était en effet une tentative féminine de retrouver l'égalité vestimentaire avec les hommes en recourant à un système fermé ; avant la Renaissance, cette prétention avait été citée devant les juges parmi les crimes imputés à Jeanne d'Arc ; sous la Renaissance elle n'est plus un crime mais elle échoue. Amateurs de simplification, les historiens du costume ont tenté d'expliquer cette nouveauté passagère par un changement dans le style équestre qui permettait aux femmes, au lieu d'être assises sur le cheval, de se suspendre à la selle par une cuisse soutenue horizontalement par un arçon, posture qui découvrait le genou et pouvant donc expliquer le caleçon par la décence, mais ne l'expliquait pas puisque cette mode ne dura que quelques années et que les femmes du XVIIe, sans caleçon, continuèrent de monter en amazone.

Il y a aussi des historiens du costume pour croire et écrire que ce caleçon fut durable et que sous une forme ou une autre il persista jusqu'à nos jours. Cette théorie présente l'inconvénient d'être fausse. Le caleçon ne dura que quelques dizaines d'années et encore son emploi appelle-t-il de nombreuses réserves. D'abord il servait la coquetterie parce qu'il permettait aux femmes de montrer décemment leurs jambes et même de les embellir grâce à des bourrelets de satin destinés à cambrer et à arrondir la cuisse et la croupe ; d'autre part ils étaient souvent ouverts puisque Brantôme raconte que certaines dames parvinrent à maintenir leurs amants dans l'illusion de leur nudité en s'offrant à eux sans baisser leur caleçon ; enfin, même à la cour, ce vêtement protecteur n'était pas porté constamment puisque le même Brantôme, dans ses récits, n'oublie jamais de préciser la présence ou l'absence de caleçon sur ses héroïnes.

Il est vrai que Catherine de Médicis et certaines grandes dames de la Renaissance rêvèrent de rallier le costume masculin puisque les caleçons faits d'abord de coton, de futaine, bref de tissus légers employés aussi pour les chemises, recoururent bientôt au drap, à la toile d'or et d'argent. Ce moment de l'histoire vestimentaire est difficile à analyser : coquette-

rie ou masculinisation ? Certains contemporains s'égarèrent en invoquant la pratique et la
pudeur, l'un deux écrit : « Les femmes ont
commencé de porter une façon de hauts-de-
chausses qu'on appelle des caleçons et ce,
parce qu'elles ont l'honnêteté en grande recom-
mandation. Car outre que ces caleçons les tiennent plus propres, les gardant de la poussière
comme aussi ils les gardent du froid, ils
empêchent qu'en tombant de cheval ou autrement elles montrent leurs cuisses. Ces caleçons
les assurent aussi contre quelques jeunes gens
dissolus ; car venant mettre la main sous la
cotte ils ne peuvent toucher aucunement leur
chair. » Mais ce naïf contemporain en vint lui-
même à se demander si le caleçon ne cherchait
pas plus « à attirer les dissolus qu'à défendre
contre leur impudence ». En tout cas cette
mode, qui n'avait atteint que les cours françaises et italiennes, disparut vite ; lors de son
exécution Marie Stuart, parce qu'elle avait été
reine de France, portait un caleçon de futaine,
mais elle était l'une des dernières, et pour
longtemps ; deux siècles plus tard Marie-Antoi-
nette n'en portait pas sous sa robe quand elle
fut guillotinée. Le port du caleçon sous la
Renaissance, qu'il ait été lascif ou revendicatif,

ne fut qu'un incident puisqu'il s'effaça aussitôt et n'empêcha pas les vêtements féminins qui lui étaient contemporains de continuer à se singulariser. Vertugales, vertugadins, à la même époque, assemblages de bourrelets, de baleines, de fils de fer, de bois et d'osier reposant sur la taille et évasant la jupe tel un cintre démesuré tendaient à distinguer les femmes des hommes à ce point que celles-ci semblaient, munies de hanches élargies comme des ailes, appartenir à une autre espèce. Il y avait cassure avec le Nouvel Age qui n'avait rien tant souhaité que d'exalter les secrets naturels du corps féminin ; ceux-ci étaient tout d'un coup masqués et travestis. Mais la cassure était superficielle puisque cette nouvelle apparence contribuait encore à distinguer la femme de l'homme.

Au xviie, après la disparition du vertugadin, la femme emploiera pour faire bouffer sa robe plus naturellement trois jupes superposées, la « modeste », la « friponne » et la « secrète ». Son corsage prend le nom de « gourgandine ». Les transparents réapparaissent, excitant l'intérêt de Mme de Sévigné. Certains petits poufs, dernier souvenir des vertugadins, portent le nom de tournure, ils s'entendent bien avec le corset et bientôt au XVIIIᵉ avec le panier, cage d'osier suspendue autour de la taille qui arrondit la chute de la jupe avec un naturel qui manquait au vertugadin. L'œuvre de ségrégation vestimentaire entreprise au Moyen Age a continué de se poursuivre aussi mystérieusement que constamment. Pour l'homme, le costume ajusté et clos, pour la femme le costume ouvert et épanoui. Au XVIIᵉ l'homme avait encore porté à titre d'accessoire, comme un ornement, le rhingrave dont les dentelles flottaient et juponnaient autour de ses cuisses. Ce vêtement, d'un style trop féminin, est vite abandonné. Il est vrai que les hommes ne renoncent pas facilement aux vives couleurs, aux flots de rubans, au fouillis de dentelles, aux étagements de volants, aux broderies d'or ou d'argent, aux talons hauts, aux bijoux, à la poudre, mais ils s'y résolvent lentement en application d'un mot d'ordre que tous ignorent.

On a vu qu'entre 1830 et 1835 le mouvement s'était encore accéléré et que l'homme avait renoncé aux caprices de la mode, à l'éclat des tissus, au charme des couleurs, aux bas de soie comme aux jabots de dentelle. La raison que j'en ai donnée tenait à la conquête du pouvoir par une bourgeoisie qui se fondait sur la respectabilité et en demandait les apparences à une tenue austère. Mais j'avais aussi observé que cette bourgeoisie aurait pu tout aussi bien, puisqu'elle s'inspirait de l'Ancien Régime et imitait la noblesse tout en la supplantant, adopter, en soirée du moins, le costume de cour. S'il n'en fut rien c'est que cette accentuation du divorce vestimentaire allait dans le sens du mouvement séculaire de l'Occident.

Au début du XXe siècle, entre l'homme tuyauté de noir, empesé de blanc, barbu ou moustachu, le cheveu très court et la femme à la lourde chevelure qu'empanache un vaste chapeau fleuri, emplumé, enfruité, aux hauts talons, au corps moulé par un corset en forme de S, parée par les bijoux et les tissus qui la pavoisent, le visage rehaussé par le fard et embrumé par une voilette, entre ces deux êtres qui, à première vue, ne semblent pas appartenir à la même espèce, il ne subsiste plus le moindre détail commun sauf l'habitude qui a persisté de porter l'un et l'autre pour la nuit un système ouvert, la chemise de nuit. Cette lacune est aussitôt réparée et le corps des hommes s'emprisonne dans des pyjamas. La secrète entreprise lancée au XIIe siècle est parvenue à son terme. Pendant ces huit siècles l'homme a changé de relations avec les dieux et les souverains, avec le Beau, le Vrai et le Juste, mais la constance avec laquelle la sexualisation du costume s'est poursuivie nous prouve l'existence d'un secret commun au XIIᵉ et au XXᵉ.

Dans l'histoire des idées, on rencontre à côté de mouvements profonds qui, en se modifiant, se renforcent ou se heurtent, des habitudes dues au goût de l'imitation qui soulignent l'existence d'une idéologie sans l'enrichir ni surtout la changer. Au XVIIIᵉ un courant ancien et profond a provoqué le déclin de l'autorité royale et de la vérité religieuse, au profit d'une religion du progrès qui s'est associée à celle de la Révolution. Ce mot a fini par désigner la vêture verbale de ceux qui comparent leur société à une société utopique, évidemment meilleure, et luttent ou feignent de lutter pour l'instauration de celle-ci, parce que c'est l'air du temps. Quand le gouvernement de Vichy qui était une réaction, à la limite une contre-révolution, s'est intitulé « Révolution nationale », il cédait à une mode et non à une pulsion révolutionnaire ; de même des parlementaires de droite s'étaient baptisés « Républicains de gauche » ; de même des linguistes, des cinéastes, des psychiatres, des romanciers se sont crus obligés par le sens de l'histoire à se présenter comme « anti », « révolutionnaires », « contestataires » ; alors qu'un Rousseau ou un Saint-Just créaient, un Marcuse a suivi la mode, a joué, en marge d'un courant puissant, à lancer des gadgets qui fussent dans le ton, en donnant les apparences du mouvement. Un courant puissant a mis des siècles à séparer les sexes par leur vêture, il est tentant de le comparer à une idéologie issue des profondeurs en marge de laquelle les variations des robes et des jupes donnaient seulement l'illusion du changement, de l'éternel renouveau — illusion dont l'Occidental a besoin pour conjurer une stagnation qu'il confond avec le déclin et la mort.

IX

A peine notre siècle eut-il parachevé la réalisation du projet inconscient confirmé au XIIᵉ qu'il s'employa à le détruire avec le même acharnement patient. Un mouvement inverse s'amorce avant la guerre de 14. La femme enfile à son tour le pyjama dont elle fera bientôt un vêtement de plage ; elle arbore des pantalons de sport sans prétexte sportif ; la culotte de cheval supplante l'amazone, le corset rétrécit et meurt, les cheveux raccourcissent, par moments les talons plats s'imposent. C'est en vain, sous l'Occupation, que certains préfets, s'appuyant sur un décret du Directoire, interdiront le pantalon aux femmes, sauf aux cyclistes. Le mouvement s'accentue après la Seconde Guerre. Bientôt, pour peu qu'ils aient à peu près la même taille un garçon et une fille pourront, comme le poète grec et sa femme, échanger leurs vêtements, un jean et un chandail. Certaines marques se spécialisent dans l'unisexe ; les femmes ont adopté la braguette et portent souvent des chemises boutonnées à droite mettant fin à une différenciation très ancienne — encore que je n'aie jamais pu trouver la date précise où l'Occident, dans sa fureur de sexualiser le costume, avait eu l'idée d'inverser les boutonnages. Entre 1960 et 1970 le spectacle d'une rue parisienne pouvait donner à penser, tant les jupes étaient rares, qu'en quelques dizaines d'années notre société avait réussi à effacer l'effort de huit siècles.

Je ne peux que confesser mon trouble. Je ne suis pas capable d'expliquer pourquoi notre société, pendant huit siècles, en dépit de ses bouleversements, avait veillé à parfaire une dichotomie. J'en suis réduit à supposer qu'une permanence subsistait et à jeter comme une hypothèse que cette permanence, au cours du XXᵉ siècle, disparut. Mais l'affaire est encore plus compliquée qu'il n'y paraît. Au moment même où l'on put croire que les costumes de l'homme et de la femme s'identifiaient, quelques signes indiquèrent confusément qu'une orientation contraire intervenait. Apparemment non seulement la femme, par le port du système clos et assujetti, semblait avoir rallié la vêture masculine mais encore l'homme en laissant pousser ses cheveux, en portant des bijoux, des couleurs, des gilets flamboyants comme les habitués de chez Castel, semblait participer à cette collusion vestimentaire des deux sexes. Pourtant la minijupe suivie par la maxi, puis par la robe gitane, ou un renouveau de la jupe classique à mi-mollet représentèrent une contre-offensive du système ouvert contre le système fermé. Voilà une période qui est difficile à analyser car, en même temps que la femme retrouvait le mouvement séculaire en s'ouvrant par son vêtement, elle se fermait par son sous-vêtement qui, devenu le collant, la barricadait comme un pantalon. Depuis 1970 l'affaire s'est encore compliquée : non seulement la jupe et la robe l'ont emporté quantitativement sur le pantalon mais encore le collant a régressé et le bas qui avait survécu faiblement et clandestinement a repris vie. Autrement dit la femme s'est accordé le pouvoir de se vêtir comme un homme quand il lui plaisait et de revenir, selon son caprice, à ce qu'elle considérait comme la féminité dès que l'envie lui en prenait. Il est passionnant de remarquer que, quelles que soient les libertés prises par la femme au cours du XXe siècle, elle continue de considérer que sa féminité est liée à un système vulnérable.

Si les spectateurs de *L'Assemblée des femmes*, pendant la vaste nuit venteuse qui manœuvrait au-dessus du théâtre d'Épidaure, ne pouvaient comprendre, à travers un changement de robe, que des femmes se travestissaient en hommes, c'est qu'au tréfonds de leurs nerfs et de leurs cerveaux il subsistait la croyance majeure et peut-être magique que l'assujetti signifiait le masculin et l'ouvert le féminin. Ce qui reviendrait à affirmer que l'Occident, en dépit des libertés qu'il a accordées aux femmes — et non aux hommes — de jouer avec la sémantique vestimentaire, restait obscurément fidèle à un message ancien, durable.

Si l'on a donné le nom de *travestis* aux hommes qui, habités par une sensibilité féminine, cherchent à se découvrir femmes dans le regard des autres, c'est que leur première initiative consiste à mettre une robe. La robe fait la femme. J. F. Piquot a décrit dans *La Licorne*, livre d'une mystérieuse clarté, les débuts d'un travesti, le ravissement qu'il éprouve « la première fois qu'il s'affuble du précieux harnachement, sanglé et bridé par le porte-jarretelles, ébloui par la douceur du bas, le sexe comprimé qui devient plus présent et plus chaud sous l'étroitesse du slip féminin ». Après avoir joué devant la glace avec la robe et la perruque qu'il étrenne, longuement retouché son maquillage, il ose affronter la lumière de la rue. « L'étroitesse et la douceur de son vête-ment, la pression des jarretières le long de ses cuisses, le balancement du sac à main le rappellent à sa féminité exposée et il raccourcit naturellement son enjambée. » Il guette, « les joues en feu », l'effet que, miraculeusement féminisé par son vêtement, il produit sur les passants.

Cette symbolique ne vaut pas pour des Écossais ou des Grecs revêtant leurs jupes traditionnelles quand ils folklorisent, car ils ne se réfèrent pas alors au sexe mais au passé. De même, elle perd toute valeur hors de l'Occi-dent, et, séjournant chez les Moïs, je n'éprou-vai, devant des montagnards en longues jupes et des filles annamites de Hué en pantalon noir, aucune trace du trouble de Casanova dans une soirée où hommes et femmes avaient échangé leurs vêtements [1].

1. Ni celui de l'abbé de Choisy qui ne se sentait jamais plus heureux — ni plus homme, d'ailleurs — que vêtu d'une « robe de satin noir moucheté ».

La femme occidentale a vite senti, c'est-à-dire en quelques siècles, qu'elle n'était pas seulement la conservatrice d'un style abandonné par les hommes, mais que le port, face à des hommes vêtus défensivement, d'un système qui ne la défendait pas, elle, et symbolisait l'ouverture corporelle que lui avait donnée la nature, s'entendait avec une féminité qu'elle découvrait agréablement, et, au xxe, satisfaite d'avoir prouvé qu'elle pouvait à sa guise se libérer en se masculinisant, elle n'a plus demandé qu'à jouer de nouveau à s'offrir vestimentairement pour multiplier un désir qui lui agréait.

A toutes les époques, les accessoires avaient été utilisés par les femmes pour se féminiser, pour se singulariser, pour se rattacher, grâce à quelques riens, à un style. En pull et pantalon noirs, une femme pouvait se détacher de l'uniformité grâce à des chaussures, à une ceinture, à des boucles d'oreilles, à une certaine manière de serrer ou de laisser pendre la ceinture, de suspendre ou de ficher les boucles d'oreilles, grâce à un bijou ou à la signification d'un maquillage, grâce aussi à ses dessous.

Au moment où j'écris, je sais que depuis douze ans on a été fondé à croire que le dessous féminin avait disparu et même que les femmes avaient accepté de s'emprisonner de la taille aux pieds dans un collant. Je sais aussi que, pendant ce laps de temps, une aventure insolite se déroula dans la pénombre où le dessous éclôt et s'épanouit. Certaines femmes, même très jeunes et non accoutumées à la contrainte du porte-jarretelles, la souhaitèrent et, à l'abri d'une jupe ou même d'un pantalon, portèrent avec enthousiasme un appareil que la mode semblait avoir condamné. Du coup sa présence parut changer de sens. Porter un porte-jarretelles à l'époque du collant ne revient pas du tout à en porter un à l'époque où il était commun d'en porter. Cette volonté de singularisation suppose chez la femme la certitude que sa féminité est liée à la nudité du sommet de ses cuisses et qu'elle est symbolisée par le ruban qui se tend sur sa peau jusqu'à la crête du bas. Le porte-jarretelles, parce qu'il n'est plus d'un emploi courant, banal, acquiert une violente signification érotique. Il est vrai que le dessous avait toujours contenu une charge érotique.

X

L'histoire du dessous masculin serait pauvre et fastidieuse. L'histoire du dessous, c'est celle du dessous féminin, d'un secret plus ou moins bien gardé selon l'époque.

En Grèce et à Rome il s'est d'emblée caractérisé par une inutilité parfaite. Sous le nom de *zona*, d'*apodesme*, de *mastodetone*, les Athéniennes désignèrent des bandelettes qui pouvaient parfois se restreindre à un mince ruban ; elles l'enroulaient autour des hanches et sous les seins. Alors qu'en Crète les cerceaux d'osier et les corsets servaient à gonfler la jupe et à affiner le buste pour glorifier la poitrine, les bandelettes grecques ne servent qu'à rappeler à une femme qu'elle est femme. Par la suite, pendant la période hellénistique, les bandelettes devinrent des écharpes transparentes qui à la fois soutenaient les seins et concouraient à les rendre désirables. A Rome les bandelettes jouèrent assez vite un rôle de soutien-gorge. Les adolescentes en portaient de larges, les *fascia* qui freinaient la croissance des seins puis, lorsque la poitrine s'était épanouie, on employait pour l'effacer le *mamillare* qui était un écrase-gorge. Beaucoup plus disposée qu'Athènes et Sparte à des amours hétéro-sexuelles, Rome, sous la République, a redouté les effets émollients des plaisirs charnels et s'est efforcée par austérité de masquer les appas féminins. Encore au début de l'Empire, des dessous abondants signifient assez la pruderie pour qu'Ovide, au moment de prôner les amours faciles, s'écrie : « Loin de moi, bande-lettes qui proclamez la vertu ! » Mais déjà le mamillare s'alanguissait, devenait, sous le nom de *strophium*, une écharpe qui soutenait les seins sans les opprimer et, en un temps où les poches n'existaient pas, permettait aux femmes d'abriter leurs secrets. Insensiblement les des-sous, après avoir représenté la rigueur, gagnent une valeur lascive parce qu'ils sont associés aux régions les plus troublantes du corps féminin. Les poètes et le langage populaire en viennent à signaler leur présence avec émotion. Décrivant Ariane en train de se dévêtir, Catulle s'ex-clame : « Plus de réseau pour tenir captives ses blondes tresses ; plus de strophium pour retenir sa gorge frémissante. » De même, il vante le zona comme ceinture virginale. Mieux, Martial donne pour titre à l'un de ses poèmes le nom de ce dessous. Quand il s'agit du zona d'une vierge, Catulle s'attendrit et l'appelle *zonula*. Ce début d'un culte fétichiste se reflète dans la locution courante *zonam solvere* qui signifie épouser. Le *cestus*, dont la légende veut qu'il ait été conçu par Vénus et gentiment conseillé par elle à Junon, est présenté par Martial comme le piège auquel aucun homme ne peut échapper, comme l'appât toujours assez puissant pour ranimer la flamme amoureuse et lui-même s'émeut au contact d'un cestus « encore tout chaud des feux de Vénus ».

Sur ces dessous collant à la peau, la Romaine passait une tunique intérieure, sans manches et s'arrêtant aux genoux. Souvent, le strophium est porté sur cette tunique, comme le corset l'était sur la chemise au siècle dernier. Sur la tunique aussi s'attache le *cingulum*, ceinture qui sert à relever un pan de la robe et à en guider la chute. Les femmes la nouent sous la poitrine, les jeunes filles aux hanches — ce qui détermine une silhouette différente chez l'adolescente et chez l'adulte. Enfin, avant d'enfiler sa *palla,* la Romaine en viendra à passer sur sa tunique un jupon qu'elle nomme la *castula* et qui, bientôt, sera soulevé par une petite crinoline faite de cerceaux de bois, analogue à celle des Crétoises, peut-être inspirée par celle des Étrusques — ou tout simplement née de génération spontanée, produite par le besoin d'épanouir les hanches que la femme éprouve volontiers.

Si, dans la rue, l'aspect d'un homme et d'une femme reste assez proche, sous sa robe la Romaine porte un ensemble de dessous dont l'usage lui est absolument propre. Sur un corps qui diffère de celui de l'homme, elle a obtenu le droit d'assujettir ou de suspendre tout un appareil strictement féminin. A défaut du vêtement c'est le sous-vêtement qui la distingue, qui la renforce dans la conscience de son sexe.

Au 1er siècle avant Jésus-Christ, Rome est une ville internationale. Matériellement, elle a gardé les allures d'une bourgade provinciale, aux rues montueuses et étroites. Elle n'en est pas moins la capitale de la Méditerranée, et, si terne qu'elle soit auprès d'Athènes ou d'Alexandrie, elle aimante les aventuriers cosmopolites. Chaque jour des Thaïs débarquent,

nées au bord du Nil ou de l'Oronte, formées à
la vie dans les ports orientaux et au savoir-
vivre, à Athènes. Elles parlent toutes les lan-
gues de la Méditerranée et apportent à Rome
de nouvelles crèmes à épiler, de nouvelles
lotions, de nouveaux arômes, des recettes de
cuisine, des cestus aux broderies inédites,
d'ingénieuses postures amoureuses et les reli-
gions mijotées par l'Asie.

C'est au lit que les Romains s'initient aux
mystères d'Isis dont les autels triompheront
bientôt intra-muros. A la fin de la République,
Rome a atteint à tant de pouvoir et tant de
perfection que son génie lui semble fastidieux.
Elle en est à ce point où d'autres civilisations se
sont déjà trouvées et se trouveront de ne
pouvoir se prolonger qu'en se trahissant. Sur la
couche des courtisanes exotiques, les hauts
fonctionnaires rêvent de remplacer les vieux
dieux rustauds et démodés par de piquantes
divinités asiates aux mystères frais et licen-
cieux, de renier un droit majestueux et tatillon
au profit d'une autocratie fringante. C'est ainsi
qu'au milieu du Ier siècle avant Jésus-Christ,
l'élite romaine se préparait à recevoir la religion
des Hébreux en accueillant celles de leurs
voisins. Dans l'immédiat, elle s'accordait au

rêve oriental qui emportait César, lui aussi conquis par l'art d'une Égyptienne qui, toute princesse qu'elle fût, avait par la liberté de ses actes, la lascivité et l'emportement de ses amours, la culture de son esprit, la rigueur de ses calculs, toutes les caractéristiques de la courtisane telle qu'elle se définissait alors dans l'état où se trouvait la société.

La société du 1er siècle avant Jésus-Christ est marquée par l'accès des femmes au pouvoir non pas légal mais sensuel et mondain. Courtisanes et concubines ont en effet pour rivales une nouvelle race, celle des veuves et des divorcées. Il était fréquent qu'une enfant de sept ans épousât un homme de trente; ce décalage produisait grande quantité de jeunes veuves qui pouvaient mener une vie libre, qui, souvent riches, avaient des loisirs qu'elles pouvaient, à l'égal de Célimène, consacrer aux arts et aux hommes. Les Romains se mariant facilement trois fois, les divorcées étaient également nombreuses et la réputation d'adultère qui les escortait souvent les prédisposait aux aventures. Les femmes mariées elles-mêmes entraient d'autant plus volontiers dans la course que les châtiments qu'elles risquaient, de cruels qu'ils avaient été, étaient devenus

bénins. Trompé au su de tout Rome, César se
borne à divorcer. Jésus, en empêchant le
peuple de lapider la femme adultère, était en
avance sur la tolérance des Hébreux mais en
retard sur celle des Romains. Alors que la
vertueuse épouse n'avait considéré les quelques
bandelettes qui lui tenaient lieu de dessous que
comme un appareil destiné à préserver sa
pudeur et assurer son confort, les amoureuses,
qui gagnent leurs batailles au lit et tiennent leur
pouvoir de l'intimité, étaient au contraire dis-
posées à considérer strophium, jupon et crinoline comme des armes efficaces. Même, elles
inventèrent une jarretière qu'elles serraient au-
dessus du genou (parfaitement inutile puisque
les bas n'existaient pas) ; enjolivée de quelque
bijou, elle servait de brillante instigatrice au
désir.

L'amour hétérosexuel est inventé mais il
reste perplexe ; il faudra attendre la seconde
partie du Moyen Age français pour qu'il
s'abouche avec les plus hautes fonctions de
l'âme et de l'intellect. Il n'est encore qu'un
désir poussé à la perfection. La morale officielle qui n'eût pas souffert qu'un poète chantât
les formes, les dessous, les transports de son
épouse l'encourageait à peindre ces sortes de

tableaux si l'héroïne était une femme galante. La poésie de Catulle, Properce, Tibulle, Ovide n'a trouvé son élan, hormis quelques femmes divorcées ou adultères, qu'auprès des courtisanes. Le vieil engouement grec pour l'amour avec les garçons subsiste, il excite passagèrement Tibulle et même un poète d'État comme Virgile, mais l'homosexualité se fera vite graveleuse et vénale avec Pétrone et Lucien. La contre-offensive féminine n'est pas brisée et les hommes se persuadent que c'est auprès des femmes qu'ils trouveront le plus de sensations compliquées et violentes. Ovide en fit l'aveu. Il n'est pas hostile à l'homosexualité mais il est obligé de reconnaître qu'elle est trop neutre et que ce n'est pas dans l'étreinte de son semblable que l'homme peut nourrir ses nerfs, mais auprès de cette étrangère qu'est la femme, bâtie autrement que lui, propre à être totalement possédée, toujours prête à trahir, donc à mieux attacher, tant il est important le don qu'elle fait d'elle-même dès qu'on imagine qu'un autre en est le bénéficiaire. Pour Ovide et ses contemporains, qui éprouvent le besoin de sortir pantelants de leurs relations avec l'adversaire sexuel, la femme a des pouvoirs irremplaçables. Une sorte d'amour qui s'était longtemps pratiquée avec des garçons dans la sympathie, la compréhension et l'amitié paraît scout, comparée à la dialectique hétérosexuelle où l'on est le maître d'un corps fait pour être maîtrisé et du même coup l'esclave d'une esclave — qui, parce qu'elle devient l'esclave d'un autre, vous abaisse autant qu'on l'a abaissée.

Les femmes avaient parfaitement compris qu'elles ne pouvaient devenir objet de passion qu'en exploitant et en accusant les différences naturelles qui les faisaient étrangères aux hommes. Timides dans le vêtement, qui restait soumis à la censure sociale, elles se déchaînèrent, comme nous l'avons vu, en matière de sous-vêtement. Il fut chargé par elles de rappeler sans cesse à leurs amants qu'elles étaient d'une race autre. Elles entrèrent dans le jeu des hommes, surent de quoi ils rêvaient, consentirent à se faire fantastiques pour leur plaire. A cela s'appliquèrent non seulement les courtisanes mais à leur exemple les femmes honnêtes qui ne voyaient pas pourquoi elles ne seraient pas, elles aussi, des séductrices. Bref la Romaine accède à une pratique de la volupté que, tout autant que la Grecque classique, elle avait ignorée jusque-là.

Sur une femme de la Rome impériale se

trouveront rassemblés tous les dessous que, depuis la préhistoire, le monde méditerranéen avait conçus : bandelettes et écharpes de la Grèce, crinolines de la Crète, tuniques et jupons de l'Égypte. C'est une synthèse par l'opulence ; elle préfigure celle que nous vivons actuellement. Toutefois elle respectait le thème capital de l'éthique et de l'esthétique du vêtement méditerranéen : il restait, pour les hommes comme pour les femmes, ouvert et flottant. Il y eut l'offensive du *subligaculum,* pièce d'étoffe dont un pan était noué autour de la taille et dont un autre remontait entre les cuisses, mais porté par des acrobates, des danseuses, des fillettes, il disparut presque aussitôt comme un caprice. Et le ventre de la femme resta nu.

L'écroulement de l'Empire romain qui lança le costume masculin dans une nouvelle voie ne modifia le costume féminin qu'en l'appauvrissant. Si l'homme barbare était empantalonné, il n'en était pas de même de la femme ; sauf les Vandales qui portèrent des culottes assez proches du bermuda, les autres, Gauloises, Franques, Scandinaves, Wisigothes, Teutonnes, ne portaient que des robes ou un combiné de blouse et de jupe et ignoraient le dessous.

Pour l'Occidentale du début du Moyen Age vêtements et sous-vêtements se sont seulement simplifiés ; elle reste nue sous deux robes, l'une extérieure qui était bariolée, l'autre intérieure d'un tissu plus léger, et encore l'intérieure n'était-elle portée que par les grandes dames sous les Mérovingiens et ne se répandit-elle qu'après Charlemagne. Seul autre dessous : nouée sur la robe intérieure, une ceinture qui soutient la base des seins. La comparaison de cette tenue avec celle d'une femme de la Rome impériale illustre l'effondrement d'une civilisation.

Cette superposition de deux robes (le *bliaud* et la *chainse* c'est-à-dire la chemise) rappelle évidemment le costume antique de la période qui avait précédé l'épanouissement de la femme. L'abandon des multiples dessous qui avaient comblé la Romaine ne signifie pas seulement que les arts et les techniques ont reculé, il dénonce aussi une nouvelle situation de la femme par rapport à l'homme. Tout s'est conjugué pour que prenne fin son droit à la volupté. L'hostilité du christianisme envers la chair voulait que le vêtement servît d'abord à ensevelir les formes de la femme, à dissimuler sa peau, à lui imposer la pudeur. Si elle se baigne, c'est en chemise. La rudesse des Barbares a fait le reste. Aucun d'entre eux n'était enclin à marivauder ou à souffrir tel un élégiaque latin. Il n'avait que faire de ces douces étapes que des linge- ries multiples ménageaient en retardant la conquête. Il voulait celle-ci prompte et brève.

La femme est redevenue d'une part ce qu'elle était au début du ve siècle avant Jésus- Christ, c'est-à-dire une pénible nécessité impo- sée à la fois par la nature et la société, d'autre part l'objet de l'un de ces désirs passagers qui transformait parfois en orgie une réunion d'ec- clésiastiques. Aussi vite dénudée qu'ignorante du plaisir, la femme ne peut cesser d'être une proie que pour devenir l'ambitieuse cupide qui tente de faire carrière au milieu de plus forts qu'elle.

Ce Moyen Age mettait son avenir dans le passé : retrouver l'âge d'or, c'est-à-dire l'âge romain. Cette époque accumule des ruines avec fureur tout en vénérant le passé. Ce parvenu qu'est le Barbare se rêve patricien. Mais c'est un rêve. Parce qu'on a oublié ce qui avait fait Rome et qu'on n'en imite que des détails oi- seux avec un zèle simiesque. Il est sûr que si les contemporaines de Charlemagne avaient

97

découvert l'inventaire des dessous d'une Romaine elles l'auraient imitée, encore n'auraient-elles copié qu'une apparence.

A partir du XIIe siècle, changement à vue : la littérature renaît, l'amour surgit, les dessous se multiplient. Je n'énumérerai pas de nouveau les dessous qui étaient à la disposition d'une femme du XIIe ; elle n'avait rien à envier à une Romaine de l'époque impériale ; ses dessous étaient plus variés, plus nombreux, plus rusés et leur emploi s'était intégré aux jeux de l'amour, à ses rites et à ses fantasmes.

Sous la Renaissance l'apparition du caleçon (qui était plus un dessus qu'un dessous) aboutit à un échec ; elle avait prétendu se justifier par des motifs sportifs et pudiques mais, au même moment, la vertugale qu'on appela ensuite vertugadin s'imposait, appareil encombrant qui s'opposait au mouvement et qui, en éloignant du corps chemises et robes, en facilitait l'assaut. Les dessous du Moyen Age avaient été tricheurs, ils escamotaient certaines régions du corps, en mettaient d'autres en valeur, veillant toujours à donner l'illusion que l'apparence vestimentaire correspondait à l'apparence corporelle. Le vertugadin est un dessous créateur. Celle qui le porte ne prétend pas faire croire que la nature lui a donné des hanches larges comme des ailes déployées et s'évasant à angles droits. La volonté originelle du vêtement qui avait été de changer les formes pour nier les décrets de la nature triomphe dans l'emploi de ce dessous qui, pareil à un cintre, donnait à la richesse des classes dirigeantes le moyen de faire étalage avec gloriole de tissus somptueux. De même que le vertugadin avait effacé les rondeurs féminines des hanches, du ventre, des cuisses, de même un autre dessous qui lui est associé, la basquine (qui est un corset), joue aussi carrément un rôle déformateur ; fait de toiles raides, il étrangle la taille et monte vers les épaules en effaçant les seins et en inventant un volume limité par des plans raides et inclinés auxquels la robe adhère. L'intervention du dessous a suffi pour que l'arrondi et le moelleux d'un buste et d'une croupe de femme soient effacés, dans un régal d'architecture. J'attribue plus d'importance au fait que le vertugadin, après l'échec du caleçon, écarte tout système protecteur du corps de la femme ; de la taille aux genoux, où s'assujettissent les jarretières, elle se sent nue.

Au XVIIe une multitude de dessous qu'on appelle jupes et qui sont des jupons, la plus proche du corps ayant seulement droit d'être considérée comme gage de « parfait amour » et de porter à travers ses rubans les couleurs de l'amant, continuent de gonfler les hanches des femmes mais dans un mouvement plus arrondi, plus féminin auquel, successeur de la *basquine,* un nouveau corset, la *gourgandine,* collabore en renchérissant sur la rondeur du buste et des seins. Alors que le costume masculin tend à se rapprocher des formes de l'homme, le costume féminin, grâce aux dessous, continue d'inventer les silhouettes et, aucun de ces dessous n'étant protecteur, ils confirment la femme dans une situation sensuelle ; non seulement elle est troussable, mais elle doit surveiller tous ses mouvements, un rien suffisant pour que la libre nudité de ses cuisses, de sa croupe, de son ventre soit publiquement révélée.

Cette nudité donne lieu à bien des accidents que l'on prend avec gaillardise, jusqu'à la fin du XVIIIe. « La chasse finie, écrit Bussy-Rabutin, le roi descendit de cheval, prit place auprès de Mlle de Fontanges et la conduisit dans son appartement. Elle était pour lors dans l'humeur la plus gaie du monde et elle dit mille plaisanteries à son amant sur le divertissement qu'une dame de la troupe avait donné en tombant de son cheval. Le roi riait de tout son cœur... » Le même divertissement fut donné à Louis XIV par une chute de Mlle de La Fayette ; celle de Mlle Paulet inspira les chroniqueurs. Des écrivains comme Scarron ou Voiture raffolaient de ce thème. Il inspira à ce dernier un poème d'une centaine de vers joyeux dont voici les plus décents : *Et mon cœur autrefois superbe/Humble se rendit à l'amour/Quand il vit votre cul sur l'herbe/Faire honte aux rayons du jour.*

Les dames minaudaient, menaçaient de recourir au caleçon pour punir leurs compagnons de ces paillardises. Le comte de Caylus, charmé par l'émoi des amazones, leur répondit qu'il était juste que chacun ait le droit de profiter du spectacle des « chutes heureuses » ; il refusait de leur offrir des caleçons sauf s'il était autorisé à les leur passer lui-même. Parfois la chute a des conséquences inattendues. Dans les *Mémoires du Chevalier de Gramont* on apprend comment Mlle Churchill, grâce à une culbute, séduit un duc qui l'épouse bien qu'elle soit fort laide. J'admire avec quelle précision et quelle grâce Hamilton fait le récit de l'incident : « Mlle Churchill chancela, fit quelques cris et tomba. La chute ne pouvait être que rude dans un mouvement si rapide ; cependant elle lui fut favorable de toutes les manières ; car, sans se faire aucun mal, elle démentit tout ce que son visage avait fait juger du reste. Le duc mit pied à terre pour la secourir. Elle était tellement étourdie, qu'elle n'avait garde de songer à la bienséance dans cette occasion ; et ceux qui s'empressèrent autour d'elle la trouvèrent encore dans une situation assez négligée. Ils ne pouvaient croire qu'un corps de cette beauté fût de quelque chose au visage de Mlle Churchill. »

L'Occident sait qu'il a érotisé le costume féminin et le proclame par le vocabulaire ; la galanterie inspire les noms donnés aux nouveaux dessous tels que le « mousquetaire », l' « innocente », la « culbute », les « guêpes », le « boute-en-train », le « tâtez-y », les « engageantes », l' « effrontée », la « criarde ». Ce dernier terme s'appliquait à une étoffe craquante qui fut beaucoup employée pour la confection des tournures.

Le premier slogan publicitaire concernant le dessous apparaît dans la vitrine d'une corsetière vantant les heureux effets de son dernier modèle sur les seins : « Contient les forts, soutient les faibles, ramène les égarés. » En fait, depuis le Moyen Age, le principe de ce qu'on appelait selon l'époque « corset » ou « corsage », « buste » ou « corps piqué » ou même « corps » tout simplement varie assez peu et la description de Montaigne reste pour longtemps valable : « Le corset est une espèce de gaine qui emboîte la poitrine depuis le dessous des seins jusqu'au défaut des côtes et qui finit en pointe sur le ventre. » Au XVIIe les variations ne concernent que des détails ; le corset est tantôt plus souple, tantôt plus rigide, lacé tantôt devant, tantôt derrière. Fatigués de le condamner au nom de la morale ou de l'hygiène, les prédicateurs et les chirurgiens lui permettent de poursuivre sa carrière. Il semble qu'à toutes les époques les femmes aient éprouvé le besoin d'être enserrées soit au niveau des hanches, soit sous les seins et que, des bandelettes de l'Athénienne à la gaine moderne en passant par le corset, elles aient presque constamment réussi à satisfaire ce penchant.

Au XVIIIe, dans les villes, la mode s'impose en même temps à toutes les couches de la société. On s'en aperçoit notamment lors de l'apparition des *paniers* qui, tout encombrants qu'ils soient, sont aussitôt adoptés par les servantes et les vendeuses des marchés. Ces paniers consistaient en une cage suspendue autour de la taille et faite de cercles d'osier, de cordes et de baleines. Plus arrondis, moins audacieux dans la déformation du corps que les vertugadins, les paniers les rappellent pourtant au point que la ressemblance est signalée par les contemporains. A peine apparus les paniers provoquent les protestations des moralistes qui avaient déjà assiégé la vertugale et le vertugadin. Le Père Bridaine accuse les élégantes de vouloir « vivre et mourir dans l'impénitence, chargées de l'énorme poids de leurs paniers toujours fatigants et scandaleux ». Il prête à « ce séduisant appât » le pouvoir « d'exciter au péché les malheureux hommes ».

Il est exact que le panier, en éloignant la robe du corps féminin, rend celui-ci à la fois plus émouvant et plus accessible. Les historiens qui ont cru pouvoir expliquer l'apparition du caleçon par le vertugadin, puis sous le Second Empire la naissance du pantalon par la crinoline, oublient qu'au XVIIIe le port du panier n'incita nullement les femmes à celui d'un caleçon.

Pourtant la liste des chutes révélatrices continue, de celle de Sophie Arnould renversée par son âne à l'accident arrivé à Mlle Lambercier devant le roi de Sardaigne, qui apitoya Jean-Jacques Rousseau parce que le XVIIIe a la larme aisée : « J'avoue que je ne trouvais pas le moindre mot pour rire à un accident qui, bien que comique en lui-même, m'alarmait pour une personne que j'aimais comme une mère et peut-être plus. »

Tableaux, dessins, estampes donnent de la femme l'image d'une créature qui, n'étant pas défendue par son vêtement, est à la merci d'un coup de main ou d'un coup de vent. Casanova admire que le vêtement féminin soit ainsi conçu qu'une seconde suffise pour le déranger, une seconde pour le rajuster — ce qui a en effet son prix à une époque où l'on fait volontiers l'amour entre deux portes. Les dames en paniers, complaisamment juchées sur des escarpolettes, ont la faveur des illustrateurs qui ne se lassent pas d'esquisser leurs genoux, leurs jarretières et la naissance de leurs cuisses.

En 1770 paraît un livre intitulé *La Dégradation de l'espèce humaine par l'usage du corps à baleines*. Jean-Jacques Rousseau aidant, il est de bon goût que les grandes dames allaitent leurs enfants et que, par une tenue sobre et pratique, elles se mettent à même de discuter des constitutions avec la sévérité compétente d'un réformateur social, de jouer au chimiste, à l'ingénieur agronome ou du moins à la bergère. Mais les souvenirs de *L'Astrée* se perpétuent et ces bergères n'hésitent pas à surmonter leurs têtes d'une architecture de cheveux et de postiches hauts comme un hennin ; elles vivent sans le savoir l'incertitude, la contradiction qui précèdent la réunion des États généraux. Le corset résiste encore mais le panier succombe. Pourtant, de même que le souvenir du vertugadin avait enfanté la tournure, le panier est remplacé par un pouf qu'on appelle un *cul*. Le cul était censé rendre à la femme la liberté de ses mouvements, ce qui était en partie vrai, mais il séduisit surtout les femmes parce que, contrairement au panier qui leur inventait une silhouette, le cul, menteur et tricheur, prétendait seulement améliorer leurs formes naturelles. L'engouement pour ces petits poufs bourrés de crin et suspendus au bas des reins fut si brutal que Mme de Matignon, rentrant d'un séjour de quelques mois à l'étranger qui lui avait fait perdre le fil de la mode, fut épouvantée lorsque, à travers une cloison, elle entendit la princesse d'Hénin demander à Mme de

Rully : « Bonjour, mon cœur, montrez-moi votre cul... Mais, mon cœur, il est affreux, votre cul ! Étroit, mesquin, tombant, il est affreux, vous dis-je ! En voulez-vous voir un joli ? Tenez, regardez le mien. » A la veille de la Révolution les Français parlent encore un français où l'on appelait un chat, un chat.

Que le changement d'un dessous entraîne celui d'un dessus, c'est possible et l'inverse l'est aussi. Il est certain que ces deux modifications se produisent ensemble et qu'elles ont la même origine. C'est la suppression du panier qui permet à la femme de jouer à l'homme en copiant le costume masculin : robe-redingote, gilet, souliers à talons plats, petite canne qu'on fait tourner avec des airs bravaches. Il ne s'agit nullement d'adopter pour de bon la vêture masculine mais de jouer avec elle par esprit d'agacerie avec une insolence coquette. De même à Paris pendant la guerre de 14 les femmes prirent l'air « soldate ». Le permissionnaire qui arrive à la gare de l'Est et cherche sur le quai la jeune femme en longue robe d'été, la gorge un peu visible dans le décolletage d'une chemise de linon, tombe dans les bras, comme l'a raconté Colette dans une de ses chroniques, d'un petit sous-lieutenant délicieux. « Une capote de drap gris-bleu, à deux rangées de boutons, l'équipait à la dernière mode des tranchées et ses petites oreilles toutes nues sortaient d'un bonnet de police galonné d'or bruni. Un raide col de dolman tenait levé son cou tendre ; elle avait en outre, épinglés sur sa poitrine, un drapeau belge et un autre colifichet qu'elle nomma aussitôt son amour de 75. »

Les bravades de la Parisienne à la mode Louis XVI n'allaient pas plus loin, même si sa nouvelle vêture donnait à ses gestes une désinvolture qui se voulait masculine. Cette comédie n'était pas sans inconvénient et Thiébault, dans ses *Mémoires,* raconte que faubourg Saint-Honoré un rassemblement se forma sous le balcon d'une dame qui, pour lire, avait appuyé ses pieds à la rambarde et, assise les jambes écartées, offrait en spectacle au public le repli le plus secret de son intimité.

La Révolution n'apporta rien d'original au dessus qui continua de suivre l'orientation qu'il avait prise, de même que le mobilier dont les cambrures avaient disparu en même temps que le panier, et dont la rectitude ne fit que s'accentuer. Le corset qui avait rétréci disparut et, les seins n'étant plus soutenus, leur vaillance fut assurée par un fichu que renforcèrent bientôt des contreforts rigides. On l'appela « gorge trompeuse », il s'agissait en effet d'un dessous tricheur destiné à charmer le regard en lui donnant souvent l'illusion d'appas imaginaires. Les jeunes femmes qui partaient en charrette pour l'échafaud et celles qui, du trottoir, les regardaient passer ne portaient plus sous des robes simples, escortés d'une gorge trompeuse et peu évasée, qu'une chemise et quelquefois un jupon. La rareté du textile, la prohibition du luxe avaient contribué à cette simplification vestimentaire, à cet allégement du dessous mais la Révolution, alors qu'elle bouleversait l'histoire et qu'elle créait de nouveaux modes de pensée, ne bouleverse pas le costume. Et il y eut toujours des conventionnels pour porter culottes à la française, talons et perruques — tout comme le roi dont ils jetaient la tête à l'Europe.

XI

Depuis ma naissance les voitures ont engraissé; leur adiposité générale les uniformise. Autrefois, elles présentaient une tendance impérieuse à se distinguer les unes des autres par leurs carrosseries, par des accessoires qui furent ensuite intégrés (boîte à outils, pare-chocs, roue de secours, phare, klaxon, malle). Ainsi chaque marque proclamait un style de sorte qu'il fût identifiable de loin et l'on reconnaissait tout naturellement dans le flot de la circulation le visage taillé à coups de serpe des Voisin[1], le goulot vibrant des Bugatti, celui plus trapu des Talbot, plus entrelardé des Hotchkiss, la proue aiguisée des Panhard, le profil majestueux et lent, très

---

1. Une photographie de M. Voisin m'a appris que ses carrosseries lui ressemblaient. Ce sculpteur de la vitesse et de l'équilibre n'oubliait pas plus que les sculpteurs grecs du Ve siècle qu'il créait selon des règles mais aussi selon son plaisir.

Napoléon III, des Hispano, le capot enrobé des Renault, imprévu des Citroën, et annonciateur des temps cruels. Les capots des Rolls ressemblent aux façades des temples grecs, mais ce n'est qu'une ressemblance, et elle n'est volontaire que parce que le nombre des formes est limité.

Les impressionnistes, pour justifier leur originalité et se la faire pardonner, invoquèrent une théorie sur la lumière qu'ils avaient trouvée dans un livre de physique. L'histoire de la peinture et celle de la couture sont de deux natures différentes mais dès qu'une entreprise se rattache aux apparences, elle a besoin d'une caution pour innover. Original par sa forme, un roman doit être traditionnel pour le sujet — ou l'inverse. Pour la mode, les règles sont toutes faites pour être violées mais pas en même temps ; l'esthétique est une ruse grâce à laquelle on brave les conventions, mais pas toutes ; on en respecte quelques-unes. Pour plaire, but de la mode, il faut savoir surprendre, et sans choquer — comme si l'innovation était attendue. Pas de changement sans alibi. De nos jours un couturier invoquera une silhouette rencontrée à Bali ou la découverte d'un jupon de grand-mère, sous le Directoire qui bouscula la mode plus vivement que la Révolution, on invoqua, au moment où tarissait l'éloquence révolutionnaire, toute bariolée des exemples grecs et latins, le souvenir d'Athènes et de Rome pour lancer la tunique, robe longue, fendue, droite et flottante. En guise de dessous quelques bandelettes qui méritent en effet le nom de zona. Le culte de l'antique et de la simplicité n'entrait sans doute pour rien dans cette nouvelle tenue qui proclamait plutôt, au lendemain de la Terreur, le désir de se sentir nue, libre, provocante. La censure de la pudeur chrétienne a disparu et celle aussi de la pudeur jacobine. Jamais deux êtres n'ont mieux contrasté que, se tenant le bras, un muscadin lourdement harnaché et une merveilleuse dénudée par ses voiles transparents. Quand, au crépuscule, le soleil oblique ses rayons, les rues de Paris et surtout les places, les avenues, où la lumière se déploie dans toute sa vigueur exténuée et transperce les légers tissus, sont des alcôves où aucun détail d'un corps féminin ne peut échapper au regard ; il arrive qu'une belle impudente prétende s'en alarmer et passe sous sa tunique un caleçon mais celui-ci est aussi transparent et cette précaution semble n'avoir d'autre conséquence que d'obliger le regard masculin, pour distinguer une anatomie qui feint de se voiler, à s'appuyer avec plus d'attention. La simplification civique et vertueuse du costume donne à une Parisienne qui traverse la rue la tenue d'une courtisane dans son salon.

Sous le Consulat et l'Empire, avec le retour des rubans, des mousselines, des flots de velours et de satin, des vagues de dentelles et des ruissellements de crêpes, le corset réapparaît, serré au-dessus d'une chemise ; il ne retrouvera son ascendant que pendant la Restauration où la mode est aux seins très écartés ; ce qui requiert la tyrannie de baleines assez méchantes. En outre la silhouette féminine, sous Charles X et plus encore sous la monarchie de Juillet, exige une taille de guêpe, ce qui permet au corset d'étendre son pouvoir jusqu'aux hanches. Tout le long du siècle il poursuivra sa conquête du corps de la femme.

Cette conquête, d'autres dessous l'aideront à la mener à bien. Au milieu du XIXe se dessine un projet dont le triomphe sera rapide et le déclin si lent que nous en subissons encore les conséquences. Sans toucher à la discrimination sexuelle du vêtement, la mode s'appliquera à maintenir apparemment la femme dans un

113

système ouvert et flottant tout en l'emprison-
nant clandestinement. Jusqu'alors les cuisses,
la croupe, le ventre des femmes étaient demeu-
rés nus sous leur robe et les velléités d'emmail-
lotage avaient été brèves. Le *subligaculum*
romain, le *feminalia* des Gallo-Romaines, le
caleçon cher à Catherine de Médicis avaient été
des échecs : le XVIIIᵉ avait tenté de l'imposer, ce
caleçon, aux danseuses dont les mouvements se
prêtaient à des accidents révélateurs, et même
aux comédiennes pour protéger la sérénité des
souffleurs mais ces demi-succès étaient restés
isolés. Sous le Directoire le caleçon n'avait été
porté que par quelques merveilleuses qui s'en
débarrassaient aussitôt que leurs exhibitions
étaient finies ; en 1807 des pantalons laissaient
dépasser des robes un feston de dentelles qui
enveloppait les chevilles mais en quelques mois
ils disparurent et, sauf à la cour de la reine
Hortense où s'imposait la pudibonderie hollandaise, ils ne furent plus portés que par des
prostituées qui cherchaient à attirer l'attention
et par des petites filles qui voulaient cabrio-
ler... Ce caleçon n'avait même pas réussi à
s'imposer chez les amazones et au début du
XIXᵉ *Le Journal des Dames* affirmait encore que
la pudeur des cavalières était parfaitement

assurée par un grand jupon tombant jusqu'aux jarrets du cheval et relié à la botte par une chaîne dorée.

Indécent pour les femmes, le pantalon est la modestie même pour les fillettes. Seules quelques familles résolument conservatrices les interdirent sans, pour autant, interdire à leurs enfants de jouer avec les autres. « Passez aux Tuileries, lit-on dans *Le Journal des Modes,* et vous verrez les petites filles, même celles qui ne sont pas en pantalon, munies d'une corde, sauter avec une décence admirable. »

A travers la Réforme, la Contre-Réforme, les prêches de Rousseau, l'idée était née du xviie au xviiie que, contrairement à l'usage ancien, les enfants constituaient un monde à part dont l'innocence devait être protégée. Sous Louis XVI les petites filles étaient dispensées de porter un cul et un corset, on taillait leurs vêtements plus lâchement pour leur permettre de s'adonner aux jeux puérils — de même les petits garçons avaient droit au pantalon que les bourgeois n'adopteront qu'un demi-siècle plus tard. Le nouveau dessous des petites filles s'intègre à merveille dans un mouvement qui tend à particulariser le costume enfantin. Les protestations sont rares et celles de Mlle de

Condé significatives : « Au lieu de cette décence de maintien, de tous ces devoirs de bienséance de notre temps j'ai sous les yeux des culottes, une manière de courir en faisant voir les jambes au-dessus du genou... de se pousser, de se jeter par terre, de se rouler sur l'herbe. » On voit que cette réserve vise moins le vêtement lui-même que la licence qu'il donne aux petites filles de s'agiter comme des garçons ; Mlle de Condé reste attachée à l'ancien esprit, celui du Moyen Age qui, sans cesse entamé depuis la fin du XVIe, aura eu des défenseurs jusqu'au début du XIXe siècle. Pour eux l'enfant, semblable à l'adulte, se doit de montrer le même comportement — c'est-à-dire de ne pas faire plus de cabrioles que Mlle de Condé.

Cette doctrine est déjà périmée. Tout au long du XIXe se consacreront le droit et le devoir pour l'enfant de pratiquer des jeux qui lui soient propres, à l'exclusion des jeux d'adulte qu'il avait partagés jusque-là. D'où la valeur symbolique du pantalon des fillettes pendant une trentaine d'années. Il signifie l'enfance. Celle-ci, dans la bonne société parisienne, s'arrête à onze ans. Voici le conseil que *Le Journal des Demoiselles* donne au milieu du règne de Louis-Philippe : « Si ta sœur fait sa première communion à Pâques, voilà comme il faut la parer pour le plus beau jour de sa vie : une robe de gros de Naples blanc. Cette robe doit être longue. Maman n'approuve pas qu'une petite fille porte un pantalon le jour où elle fait l'acte le plus auguste de la religion. » Si le courriériste insiste sur la longueur de la robe, c'est que le pantalon avait permis qu'on raccourcît les robes des fillettes et que, par là, la différenciation du costume enfantin s'accusât. Le raccourcissement se poursuivra pendant tout le XIXe siècle. Sous le Second Empire les petites filles de la comtesse de Ségur dont les gravures de la Bibliothèque Rose nous ont laissé une image, pour moi ineffaçable, portent leurs robes au mollet, protégées qu'elles sont par le pantalon festonné qui descend aux chevilles ; en 1913 elles montreront leurs genoux, mais nus.

Sous la Restauration et la monarchie bourgeoise la fillette quitte ce pantalon dès la première communion, devient une jeune personne si elle appartient à l'aristocratie et à la haute bourgeoisie alors que dans les familles modestes on cultive les prolongements de l'enfance pour se distinguer du prolétariat qui continue d'habiller les enfants comme les adultes. Pour marquer la différence, le petit-bourgeois croit devoir tenir pour enfants des filles de dix-huit ou vingt ans. Si le Moyen Age avait inventé le couple, le xixe siècle invente l'oie blanche qui de la petite bourgeoisie gagnera la grande. Une oie blanche de vingt ans doit demeurer persuadée que les bébés sortent des roses. Cette oie qui n'a jamais existé sous l'Ancien Régime est tenue de porter le pantalon enfantin le plus tard possible. Le quitter équivaut à se marier et, dans un roman, une jeune fille dont les fiançailles sont rompues s'écrie : « J'aurai donc toujours des pantalons. »

Pour qui est intéressé par la présence et la forme d'une étoffe sur un corps, la première moitié du xixe siècle constitue dans ses dernières années un moment fantastique. Une conspiration tendait à emprisonner le sexe de la femme resté nu jusqu'alors. Il y avait eu l'offensive de 1807, le pantalonnage des petites filles, des jeunes filles, puis il arriva que des dames s'enfermassent de la sorte à cheval et en voyage. Sous Louis-Philippe *La Mésangère* observe encore que s'il est à la mode pour les enfants et les jeunes personnes, les dames qui porteraient le pantalon couramment donneraient à croire qu'elles ont de vilaines jambes.

Mais depuis que, symbole de la bourgeoisie, le parapluie a remplacé l'épée au côté du roi, la pudibonderie du tiers état l'a emporté et aucune dame « comme il faut » ne se serait relevée d'une de ces chutes de cheval qui mettaient Louis XIV de bonne humeur. Dès le début du siècle en Angleterre s'imposaient lentement le pantalon et le *drawer*. De grandes dames, la duchesse de Bedford, Lady Charlotte Lindsey, les exhibent volontiers et leur exemple est suivi dans les milieux snobs. Bref, il existe une disposition d'esprit qui prépare l'incarcération sexuelle de la femme.

Dès qu'on analyse l'évolution d'un dessous, on affronte un enchevêtrement de causes, de circonstances, de raisonnements et d'émotions. Le pantalon aurait dû faire des progrès plus rapides sous la monarchie de Juillet puisqu'il représentait la pureté, la bienséance, mais il représentait aussi la modernité. Le clergé, insensible au concours que le pantalon pouvait apporter à la modestie féminine, le considéra d'emblée comme diabolique parce qu'il était nouveau et que sa forme semblait inspirée par de dangereux révolutionnaires comme Saint-Simon et Cabet ; il risquait d'inciter les femmes à adopter un comportement plus libre et les hommes à rêver sur la région satanique qui s'étend au-dessous de la taille. A la fin du règne de Louis-Philippe, le pantalon est encore à l'index dans le trousseau des pensionnaires des Ursulines. De même entre 1950 et 1960, et jusque dans les lycées de l'État le pantalon, devenu un dessus, sera réprouvé par des éducateurs moins sensibles au confort et à la décence qu'à l'horreur du neuf. Mais peu à peu, pendant la fin du règne de Louis-Philippe, les forces conservatrices de l'Église cherchèrent des accommodements, les trouvèrent et en vinrent à imposer ce qu'elles avaient interdit du moment qu'elles lui avaient inventé un nom qui fut : « les tuyaux de modestie. » A la fin du règne de Louis-Philippe les robes allongent, ce qui permet aux femmes de porter un pantalon sans donner à douter de la grâce de leurs mollets. La coquetterie n'est plus en cause, l'offensive du pratique et du convenable a le champ libre. A la pression de l'Angleterre s'ajoute celle de l'Amérique où triomphe un pantalon bouffant nommé bloomer du nom de son apologiste Mme Amelia Bloomer dont le nom, par coïncidence, signifie s'épanouir, bouffer.

Un peu avant la fin du demi-siècle des

motivations s'additionnent pour conduire la femme à s'enfermer. En voici une autre : la règle selon laquelle, depuis la fin du XVIIIᵉ, ce qui est porté par l'enfant finit toujours par être porté par l'adulte. Pourtant la résistance demeure, ce dont on ne saurait s'étonner si on se rappelle que depuis le Nouvel Age la volonté de l'Occident est de distinguer les vêtements masculins des féminins, le fermé et l'ouvert. Et pour que le pantalon triomphât enfin il fallut qu'intervînt une circonstance supplémentaire : la crinoline.

Sous le Second Empire les robes, qui n'ont cessé d'allonger, balaient les parquets et sont gonflées par un système d'arceaux métalliques attachés à la taille comme le panier ou le vertugadin. Les jambes étant cachées, ce n'était pas les cacher davantage que de les envelopper ; en outre la rigidité de la crinoline faisait qu'une femme en descendant un escalier ou en se penchant mettait sa pudeur en danger. Le pantalon ne pouvait être aperçu qu'en de rares circonstances. Il ne modifiait donc pas l'aspect flottant et ouvert du costume féminin. L'hypocrisie chère à ce siècle permettait de respecter en apparence une vocation séculaire.

Aux yeux des hommes, ce dessous n'a d'abord aucune valeur érotique. Même ils le haïssent. Viel-Castel, dans ses *Mémoires,* signale comme une manifestation de mauvais goût qu'une marquise se soit rendue à un rendez-vous galant nantie d'un pantalon et, qui plus est, fermé. Le roi Victor-Emmanuel trépignait de colère au nom de ce sous-vêtement qui, en le privant du spectacle des chevilles féminines, attristait sa vie. Un dessin de Hadol, paru en 1863, représente les tribunes de Longchamp sous une bourrasque, escorté de cette légende : « Autrefois vous aviez les jolies jambes pour vous consoler de la pluie, maintenant vous n'avez plus que les pantalons et le macadam. »

Les femmes du Second Empire ne songeaient pas comme celles de la Renaissance à utiliser le pantalon pour entrer en compétition vestimentaire avec les hommes. Non seulement il est dissimulé, mais fait d'un tissu léger analogue à celui de la chemise ou du jupon. Pourtant les hommes ne se trompaient pas en soupçonnant une velléité de déféminisation dans un dessous qui, pour préserver la pudeur victorienne, séquestrait le corps contrairement à l'usage. Qu'on en juge en comparant les dames dignes et guindées peintes par Winterhalter et celles de Tiepolo ou de Watteau les jambes libres et le regard audacieux.

XII

Au lendemain de Sedan la crinoline s'effondra. Pourquoi était-elle née ? Impossible de répondre à cette question. Comment était-elle née ? Au terme d'un mouvement qui avait commencé à la mort de Louis XV. De 1775 à 1800 les formes, qu'elles fussent architecturales, mobilières ou vestimentaires, avaient tendu à se dépouiller de leurs rondeurs, à s'allonger, se rectifier, s'alléger ; de 1800 à 1820, elles gardèrent les mêmes canons mais s'alourdirent ; entre 1820 et 1850 elles retrouvèrent la courbe, la cambrure et, par contraste, l'étranglement ; après 1850 le sommet de la réaction est en vue et, en même temps que le mobilier, s'inspire franchement du Louis XV ; la crinoline copie le panier en renchérissant. Le cercle est bouclé.

A l'origine du mouvement nous avions la femme Louis XV enclochée par son panier, surchargée de dessous (chemise, jupon, corset). Au creux de la vague nous aurons eu la femme du Directoire droite comme un pilier et presque dépouillée de tout sous-vêtement. A partir d'elle nous remontons sur la crête adverse pour trouver la femme du Second Empire de nouveau enclochée, corsetée, de nouveau entourée de dômes et de volutes.

Plus vaste que le panier, se rapprochant plus du sol, la crinoline emprisonna la femme dans un hémisphère. Le corset descend beaucoup plus bas que sous Louis XV et va jusqu'à meurtrir les cuisses. Si ses godets ne gouvernent pas les seins trop rudement c'est qu'il est bien vu de porter ceux-ci assez bas, de même que les épaules se font tombantes — comme celles de l'Impératrice. Avec l'aide de plusieurs femmes de chambre, une mondaine, par-dessus une longue chemise, se fait sangler dans le long corset, s'introduit dans un vaste pantalon que gonflent les pans de la chemise. Puis on pousse la patiente entre les arceaux de la crinoline sur laquelle vont ruisseler les jupons. Saint-Simon, le théoricien qui avait attendu du pantalon la libération de la femme, n'avait pas prévu que, devenu un dessous et s'associant à la crinoline, il marquerait l'une des périodes de l'histoire où la femme fut le plus contrariée dans ses mouvements et jusque dans sa respiration.

Il n'aurait pu davantage prévoir que la crinoline serait aussi rapide à mourir que le panier ou le vertugadin. Le vêtement n'étant pas un besoin, il est difficile de prévoir son évolution. Tocqueville a pu, au XIXe siècle, annoncer que les deux grandes puissances du XXe seraient l'Amérique et la Russie ; Jacques Bainville, en 1919, a annoncé la guerre pour 1939 et qu'elle aurait lieu à propos du couloir de Dantzig. Je postule que, s'ils s'étaient intéressés aux vêtements comme ils s'intéressèrent aux rapports politiques des grandes puissances, Tocqueville et Bainville se seraient trompés dès qu'ils auraient tenté de prévoir l'évolution d'un jupon. Sous l'Empire autoritaire aucun signe n'eût permis de croire à une fin prochaine de la crinoline, et témoignait au contraire en faveur de sa pérennité l'ardeur avec laquelle ébénistes et carrossiers multipliaient sièges et portières conçus pour respecter l'encombrement de cet appareil vestimentaire. Il se perfectionna, fut construit en fer et en acier et par là sembla s'associer à l'essor de l'architecture métallique née en même temps que lui ; c'est une créature en crinoline qui aurait dû inaugurer la tour Eiffel mais en 1889 la crinoline n'existait plus depuis plus de vingt ans.

Si la chute de la crinoline fut prompte, le processus qui la suivit répète ce qui s'était déroulé après la disparition du vertugadin et du panier. De même qu'au XVIIe puis au XVIIIe on avait ménagé une transition en usant de super-positions de jupes et de poufs, on recourut, dès le début de la Troisième République, à une « tournure » pour rehausser la croupe.

Cette tournure fut d'abord un petit pouf de crin ou une pile de volants de toile raide. Elle devint une nacelle composée d'anneaux métal-liques assujettis par des bandelettes. Elle prit enfin l'aspect d'une cage, suspendue au bas des reins entre robe et jupon. Un pan de la robe, soulevée comme un rideau, venait se draper sur la bosse constituée par la cage.

L'encombrement de la crinoline s'est ré-sorbé, mais la femme n'en est pas plus libre pour autant. Au contraire. De la guerre de 1870 à celle de 1914, la femme restera ligotée. Par-dessus la chemise elle subit un corset qui l'étrangle des épaules aux cuisses. Le bas du corset est dissimulé par un large pantalon à l'intérieur duquel bouillonne l'excédent de chemise. Pour le haut, il est serré dans un « cache-corset » brodé et dentelé comme le pantalon. Autour de la taille se nouent plusieurs jupons. Le rôle du corset est de comprimer le buste et les hanches ; le rôle de la jupe est de serrer au maximum autour des jambes le fouillis constitué par les jupons, la chemise, le pantalon, les jarretelles du corset, les jarretières de renfort, les bas, les bottines, et, sur la croupe, le promontoire de la tournure. Cette jupe doit être si longue et si étroite, Poiret régnant, qu'une femme qui marche garde les cuisses rivées l'une contre l'autre. Elle n'est en mouvement qu'à partir des genoux — mouvement d'une amplitude infime. Ainsi, elle a conservé la robe que lui a léguée l'Antiquité mais en a fait un fourreau aussi clos qu'un pantalon.

Tout caprice cérébral qu'elle soit, la mode exige pour être suivie étroitement dans son dédale des moyens qui s'appellent : luxe.

Dans l'Antiquité, la qualité des tissus, des colorants, la cadence des changements différaient selon les classes sociales, mais de peu. Pendant le Nouvel Age, la Renaissance, le classicisme, les différences n'ont fait que s'accentuer et, pendant le dernier tiers du XIXᵉ, les formes se multiplient, de nouveaux noms courent soutenir les anciens au point qu'il me lasse d'en ébaucher l'inventaire : entre-deux, galons, soutache, parements, applications, crêpés, bouillons, glands, chicorée, tournure, corsage, corselet, burnous, basques, capes, traînes, pans, volants, fourreaux, ruchés, cuirasses, poufs coulissés, guipures, panneaux, écharpes, châles, manchons... Quant aux matières elles n'ont jamais été si nombreuses qu'en ce temps où l'argent règne en s'appuyant sur le progrès : les chamarrés, les frappés, les matelassés, les draps et les demi-draps, les damas et les satins, les crêpes — de Chine ou d'Islam —, les tulles, les serges, les étamines, les jaconas, les linons, les reps, les laines écossaises, les cheviottes, les feutres, les soies, les poult-de-soie, les moires, l'organdi, les gazes, les velours, autour desquels s'enguirlandent les dentelles, les broderies d'or, d'argent, de soie, les plumes et les fourrures, indéfinissables comme les pierres précieuses qui les escortent, dont l'artillerie crépite sur la chair, l'opaque ou le transparent, le lisse ou le touffu ; paysages glaciaires en miniature où, du grenat au diamant, des lacs profonds alternent avec des arêtes aveuglantes et des crevasses que

129

le style de la taille gonfle d'éclairs variables.

Au luxe des matières s'adaptait celui des mots. Les précieuses s'étaient heurtées à l'inspiration gaillarde de l'époque qui trouvait pour les jupons et les corsets des surnoms grivois mais la décence du xixᵉ siècle victorien allait permettre de transformer la femme riche en un ange-cygne, un cintre chaste et de bon ton où exhiber la fortune d'un père ou d'un mari, un cygne bien dressé pour provoquer l'admiration, la convoitise et le respect apparent. Les noms des nouvelles nuances se mêlent à ceux des anciennes couleurs, mais corrigent ce qu'il y a de réaliste dans *lie de vin,* par des hennissements diaprés : le gris-bleu, le gris moscovite, ou clair de lune, ou à la Russe, le gris argent, fer, ardoise, le gris mode, les bleus de ciel, les bleus émeraude, opale, scabieuse, le marron doré, le marron brûlant, le rose chair, le rose thé, le réséda et le myosotis, crème et maïs, loutre et suresne, paon, crépuscule et regina, et, pour la même nuance, le choix entre cachou, havane, gyzale. Gorge de pigeon et cuisse de nymphe émue n'ont plus qu'à suivre, draguées par un art fluide et crémeux où s'entrelacent les colchiques déchirés au coucher du soleil et les méduses mourant au clair de lune.

Les formes de la femme, sa chair, sa démarche sont sacrifiées à une esthétique de l'éthéré évanescent qui enthousiasmait Mallarmé. Pendant un an, il posséda, dirigea, et rédigea à lui seul ou presque — sous les pseudonymes de Miss Satin, Marguerite de Ponty, Zigy, Olympe — une revue féminine intitulée *La Dernière Mode.* Ce qu'il y a de savant, de contrôlé, d'incharnel, dans sa poésie; il le savoure dans les toilettes qu'il se complaît à décrire. Ce précieux froid qui préfère aux choses l'effet qu'elles produisent dans l'art se régale d'un vocabulaire où les matières, les formes, couleurs, bruissent, frissonnent, embaument. Peu importe la femme, ne compte que l'apparence inventée par la mode, celle d'une créature guindée qui marche à petits pas, sensitive au point de ne pas pouvoir supporter le soleil d'avril sans la charmeuse protection d'une ombrelle, la touffeur d'un salon sans l'agitation scandée d'un éventail.

Mallarmé exulte devant la miroitante passementerie de perles qui blinde la femme comme une guerrière, ou une déité marine, ou mieux encore la cuirasse de jais d'une nouvelle reine de Saba, toutes ces armures rigides accédant à la mélodie par le concours des gazes, des tulles [1], des plumes, qui apportent le léger, le vaporeux, l'aérien, une brume qui adoucit la dureté étincelante du jais à reflets d'épée, un nuage parfumé et froufroutant dont les suaves guirlandes flottent autour de la citadelle d'acier, de même que la chevelure se laisse envahir par des fleurs confectionnées par *Louise et Lucie* « qui ont les doigts de rose du matin, mais d'un matin artificiel faisant éclore des calices et des pistils d'étoffe ». Quant aux arômes du matin (du crépuscule ou des moissons) ils s'évadent de flacons baroques où dorment le *Crème-neige*, le *lait d'Hébé*, l'*Oppoponax*, l'*Ylang-chang*, le *Nord celtique* aux « goûts étranges mais délicieux dont, respirée, la senteur fait rêver, comme, simplement prononcé, le nom » [2].

Mallarmé a été témoin, pendant qu'il dirigeait sa revue, du déclin de la tournure et du

1. Que l'un de ces tulles fût appelé « illusion » inspira Barbey d'Aurevilly.
2. Le vocabulaire de la couture n'est jamais à bout de ressources. A la fin de la Première Guerre mondiale voici, faits pour inspirer Mallarmé, les *noms* de quelques tissus à la mode : cristalline, madapolom, djersadar, moufla, kashemyrina, linetta, duvetine, blondine, agnella.

pouf. Avec un aplomb de positiviste il assène :
« A un recueil qui veut étudier la mode comme
un art, il ne suffit pas, non ! de s'écrier : telle
chose se porte : mais il faut dire : en voilà la
cause. » Or la seule cause qu'il découvre est
une volonté de faire « transparaître la Femme,
visible, dessinée, elle-même, avec la grâce
entière de son contour ». Le refrain des chroniqueurs de mode, pour qui chaque nouvelle
mode nous révèle enfin la nature profonde de
la Femme, vient sous la plume de Mallarmé
au moment où l'hypertrophie du corset com-
mence d'appliquer au buste des femmes une
contrainte analogue à celle que les Chinoises
infligeaient à leurs pieds.

De l'Athènes de Périclès au Paris du Second
Empire, la robe était restée une enveloppe plus
ou moins capricieuse, plus ou moins révéla-
trice, plus ou moins flottante, plus ou moins
troussable. Au début de la Troisième République, il n'est plus une seule de ces épithètes qui
lui convienne. Non seulement cette robe est
quasiment hermétique mais les dessous qu'elle
comprime sont autant de remparts contre d'im-
possibles assauts. Les jupons collent au pantalon qui est lui-même renforcé par l'entrelace-
ment des pans de la chemise, par le corset en

outre, enfin bastionné par la tournure. C'est le moment où Verlaine fait rimer jupe avec dupe.

Comme si elles eussent pu constituer une brèche dans cette place forte, les fentes des pantalons tendent à disparaître ou à se réduire. Elles ne subsistent souvent que dans le dos pour laisser passer un peu du surplus de la chemise. La fente complète ne se maintient qu'en province ou à Paris, chez les ouvrières et les filles légères. Il est fendu le pantalon de Virginie quand, au début de *L'Assommoir,* elle reçoit une fessée au lavoir ; fendu aussi celui de *Nana* et, à l'usage des cocottes, les lingères confectionnent de petits pantalons « demi-transparents, et si drôles avec leur longue fente qui n'en finit plus ». De toute façon, il n'est plus question qu'aucun badaud puisse entrevoir le bord d'aucun pantalon féminin puisque la jupe cache jusqu'à la bottine.

C'est seulement pendant une fraction de seconde, grâce à l'escalade d'une plate-forme d'omnibus, qu'un observateur exercé pouvait entrevoir la bottine jusqu'à la naissance de la tige. On pourrait soutenir qu'à cette époque la bottine devient un dessous. Les fétichistes ne s'y trompent pas. Auparavant le pied chaussé d'une femme avait déjà eu une signification

134

érotique. Le soulier avait troublé plus que tout autre article de vêtement un écrivain comme Restif de la Bretonne. Ces engouements toutefois étaient restés isolés et il faut attendre la Troisième République pour que naisse un fétichisme général, d'une intensité presque morbide, et comprenant parmi les objets de son culte les bottines et le corset.

On ne doit jamais prendre connaissance des travaux de Freud sans se rappeler à quelle époque il les poursuivit. Les refoulements qu'il analyse sont d'un style qui est sans doute propre à cet instant de l'histoire du vêtement où celui-ci semble avoir pour mission d'enfermer et de cuirasser le corps féminin, où les dessous ont pour la première fois comme objet de s'opposer aux élans amoureux, matérialisant un interdit qui n'a pu manquer d'émouvoir la clientèle du Dr Freud ; où des médecins inventent pour les garçons des vêtements de nuit qui visent à rendre la masturbation impraticable.

Un roman de Pierre Louÿs développe minutieusement la hantise à la fois délicieuse et étouffante où l'homme est maintenu par le pouvoir défensif du dessous féminin. Dans *La Femme et le pantin,* quand les obstacles moraux et affectifs ont cédé, le soupirant se heurte à l'emballage de toile et de liens où la femme, par souci d'agacer, s'est enfermée. Qu'un roman tout entier ait été consacré à ce thème invite à mesurer la part que le dessous avait prise dans la formation de l'érotisme. Le désir est condamné à n'exister que dans la durée, prolongé et sécrété qu'il est par la multiplicité des écrans qui s'opposent à lui. A la même époque, Bergson faisait du champ de conscience une durée, rejoignant ainsi la donnée essentielle de l'œuvre de Proust.

Le strip-tease, qui est tout le contraire du coup de foudre, repose lui aussi sur la durée. Il eût dû naître à la fin du xixᵉ. Et c'est précisément ce qui arriva mais il s'appela d'abord « coucher ». Tout Paris courut assister au « Coucher d'Yvette ». Au son d'un piano, une dame en toilette de jour apparaissait dans le décor d'une chambre et entreprenait de se déshabiller avec lenteur. Ses dessous étaient simples, banals même, elle employait ce qu'elle portait dans la journée. Cet émouvant déshabillage restait pudique et c'était toujours sans s'être montrée nue qu'Yvette parvenait à passer sa chemise de nuit avant de se mettre au lit pendant que le rideau se baissait. Il y eut ensuite des « Levers d'Yvette », des « Bains

d'Yvette ». Enfin des Folies-Bergère à Bata-
clan, du Casino de Paris au Divan Japonais il
n'y eut plus, après 1893, que « Réveil de
Madame », « Déshabillé de la Parisienne »,
« Choix du modèle », « Fais dodo la môme »,
« La chasse à la puce », etc. En cette fin de
siècle où la femme a été momifiée par le
vêtement naissent en grand nombre des magazines grivois où, grâce au dessin, les dessous
féminins peuvent être savourés à satiété. Le nu
n'est pas négligé. Après 1900 il fait même son
apparition en scène chez Fursy, aux Folies-
Pigalle, bientôt aux quatre coins de Paris puis
de l'Europe. Jusqu'en 1914 le succès de ces
spectacles où le « dépouillement agaçant »
aboutit au nu presque intégral continue d'inspirer des censeurs, des chroniqueurs et d'en-
chanter le public, ce qui est normal puisque, si
la mode entre 1890 et la guerre a changé, le
principe du vêtement-forteresse est resté sacré.

Nous sommes habitués aujourd'hui aux danseuses nues, à l'époque, c'était une nouveauté
révolutionnaire qui n'est explicable que par
l'obsession où l'excès de vêture des femmes
avait mis les contemporains. Il fallait en effet
un sursaut vital pour rompre avec la tradition
millénaire qui prohibait le nu dans la danse. Si,

en Égypte et en Grèce, il y avait eu des danseuses nues, c'était par goût des formes belles, le nu n'ayant pas alors le sens scandaleux qu'il prit par la suite. Depuis que le vêtement était de règle en ville, il l'était devenu en scène. La société parisienne ne serait pas plus allée applaudir des danseuses nues sous Louis XIV que sous Saint Louis ou sous M. Thiers. Les orgies avaient toujours eu cours et même au Vatican, mais elles n'auraient jamais inspiré un spectacle quotidien accessible à tous. Il fallait que le bourgeois de 1905 fût à bout de nerfs pour ne pas craindre d'essayer de se défouler publiquement au music-hall.

Tout s'est passé comme si, vers 1890, une mutation du goût s'était produite qui se reflétait en même temps dans les arts et les corps féminins. Débarrassés de la tournure, ceux-ci, pour parvenir à former l'S, doivent s'abandonner à la fureur d'un nouveau corset. Il est sur le devant constitué par un long contrefort métallique qui efface le ventre, le comprime jusqu'à le creuser. Le bas du corset meurtrit volontairement les aines pour obliger celle qui le porte à chercher un soulagement en creusant les reins. L'engin s'appelle un « sans-ventre ». Il est fermé par des crochets. Il continue à être porté sur la chemise qui, tendue à l'extrême, se charge à elle seule de soutenir les seins. Sa partie inférieure reste enfermée par le pantalon qui, n'ayant cessé de raccourcir depuis 1870, devient une sorte de sac terminé par deux manches très courtes.

Grâce à ce corset la femme 1900 présente derrière elle une énorme croupe qu'elle remorque, le ventre presque horizontal et le buste rejeté en arrière. Toujours emmaillotée par ses dessous, toujours hermétique, encore plus meurtrie et tyrannisée qu'avant, la femme 1900 n'a gagné qu'en étrangeté. Par son aspect elle nie posséder une colonne vertébrale et un abdomen, se vante d'une croupe illimitée, bref, décourage plus encore qu'une femme en vertu-gadin toute envie de la classer dans une espèce humaine. On comprend que sa vue ait frappé de stupeur assez d'adolescents [1] pour accroître

1. Dont Jean Cocteau qui note, dans *Portraits-Souvenirs :* « J'ai vu, moi qui vous parle, Otero et Cavalieri déjeuner à Ermenonville. Ce n'était point une petite affaire. Armures, écus, carcans, gaines, baleines, ganses, épaulières, jambières, cuissards, gantelets, corselets, licous de perles, boucliers de plumes, baudriers de satin, de velours et de gemmes, cottes de mailles, ces chevaliers hérissés de tulle, de rayons et de cils, ces scarabées armés de pinces à asperges, ces Samouraïs de zibeline et d'hermine, ces cuirassiers du plaisir que harnachaient et capara-

la clientèle de Freud et que « Le coucher d'Yvette » ait pu jouer le rôle rassurant d'une cérémonie initiatique destinée à montrer aux lycéens qu'à mesure qu'une femme s'effeuille un corps lui vient qui diffère en certains points de celui des hommes mais ne lui est pas aussi radicalement étranger qu'il y paraissait.

La mode étant perpétuellement changement il va de soi que de la femme tordue et emprisonnée à la femme droite et libre il n'y a qu'un pas. Mais la mode pour faire un pas d'importance a toujours besoin de multiples motivations. Il y a le cubisme qui démode carrément les sinuosités du S. Il y a Poiret qui assouplit la femme, restreint le corset, condamne au ridicule le torticolis 1900 et lance comme des loups les couleurs crues pour déchirer les cuisses de nymphes émues. Il y a le 28 juin 1914 un coup de pistolet tiré à Sarajevo, bref une guerre, cette guerre dont Lénine a dit qu'elle était « une époque » et dont la femme sort changée.

Une mode féminine qui s'inspirait du sport

çonnaient, dès l'aube, de robustes soubrettes, semblaient, raides, en face de leur hôte, ne pouvoir sortir d'une huître que sa perle. Un de nos gigolos modernes se sauverait à toutes jambes, en face d'une de ces beautés. »

guerrier rappela du même coup à celle qui les
avait pratiqués les jeux de plein air, les vacances, l'aisance vestimentaire de la plage et du
court de tennis. Les jupes raccourcirent. Sur
les boulevards, les femmes les portèrent tout à
coup au-dessus de la cheville bien qu'elles
n'eussent pas de raquette sous le bras. Le
même mouvement les incita à réduire le corset
aux proportions d'une gaine souple qui ne
montait pas plus haut que la taille et qui,
cessant de descendre à mi-cuisse, n'atteignait
plus que l'aine. Cette libération du buste fut
suivie par l'invasion du « soutien-gorge », qui
existait depuis 1912 mais qui, jusqu'ici, ne
s'était pas imposé. Voici pourquoi il s'imposa.
La femme de 1914 ceignait son corset sur sa
chemise de sorte que celle-ci, bien tirée, se
chargeait de soutenir les seins. La réduction du
corset rendit de la mollesse à la chemise qui,
dès lors, ne pouvait plus remplir cette fonction.
Le soutien-gorge s'en chargea. Les premiers
soutiens-gorge se portèrent par-dessus la chemise. Assez vite celle-ci se révéla inutile, sinon
encombrante, tout au moins si on continuait à
la glisser sous le soutien-gorge et ce qui restait
du corset — lequel ne présentait d'ailleurs plus
que l'utilité d'un porte-jarretelles. Aussitôt

beaucoup de femmes remplacèrent ce corset peau de chagrin par une ceinture porte-jarretelles et certaines, à l'égal du soutien-gorge, la portèrent à même la peau, et d'autres, libérant leur taille de toute étreinte, préférèrent adopter les jarretières qui réapparurent comme une nouveauté.

Abandonnée à elle-même, la chemise pendait sur les jambes. Or chez les femmes le goût de se sentir alerte a tourné à la passion. Elles commencent par se faire de la place sous leurs robes en supprimant, après le jupon, le petit cache-corset festonné et en raccourcissant le pantalon. Celui-ci avait eu pour objet de recouvrir toute la partie du corset qui allait de la taille à mi-cuisse. Il avait l'aspect d'un sac se terminant par deux brèves emmanchures. Dès qu'il cesse de revêtir, ce corset renonce aux lourdes dentelles et aux étoffes épaisses en faveur du linon, du crêpe et, d'une façon générale, de la transparence. Blanc ou noir jusque-là, il devient rose. Deux formes se dégagent : le pantalon à manches larges, entourant les cuisses sur plusieurs centimètres ; le pantalon à manches très courtes qui serre le haut des cuisses et annonce la culotte et le slip. La chemise s'abrège au point de ne dépasser qu'à peine le pantalon. Elle peut encore se terminer par un volant de dentelle mais souvent se satisfait d'un simple ourlet.

Comme les jupes raccourcissent à vue d'œil[1] les femmes montrent leurs mollets, bientôt leurs genoux, deviennent sensibles à la beauté de leurs jambes en même temps qu'à leur existence et substituent aux bas de fil des bas de soie. Les anciens étaient blancs, noirs, parfois de couleur, le nouveau bas est de couleur chair, il tend à imiter la nudité, à rapprocher les jambes de la femme de celles, nues, de la fillette.

Dans les régions envahies, des Françaises et des Belges menèrent une action clandestine en faveur des Alliés, traversèrent les frontières en fraude, battirent les forêts la nuit. Certaines estimèrent encombrants leurs vêtements traditionnels. Louise de Bettignies, si elle avait conservé une toilette classique, tailleur foncé et chapeau de crin noir, s'était improvisé pour faciliter ses dangereuses équipées des dessous

1. Avec le recul on prête un mouvement orienté à la mode. Sur l'instant elle s'égare volontiers en bifurcations énigmatiques. Entre l'Armistice et le traité de Versailles, le XVIIIᵉ fit fureur avec le tricorne, la robe cerclée, les hanches-panier. Fureur aussitôt calmée. Mais on aurait pu s'y tromper.

qui consistaient en un costume de bain et une culotte collante de laine noire. Le secret de son entreprise ne lui aurait pas permis d'en lancer la mode mais celle-ci, aurait-elle été orchestrée par les puissances de la couture, aurait échoué car au lendemain de la guerre tout mouvement qui ne contribuait pas à l'allégement et à la révolution du corps féminin était voué à l'échec. En 1920 l'empire de la pudibonderie victorienne et du positivisme bourgeois s'est affaissé. La femme, dont le corps avait été séquestré pendant trois quarts de siècle, retrouve sa singularité en retrouvant sa demi-nudité du XVIIIe, la soumission volontaire aux effets du vent et au hasard d'un mouvement. Mieux, elle est seule à montrer ses jambes, l'homme les ayant calfeutrées depuis le début du XIXe. On pourrait croire que la ségrégation vestimentaire culmine.

Elle intervient même chez les enfants. Lorsque la discrimination des deux costumes s'était produite au Moyen Age elle n'avait pas touché les petits garçons qui avaient continué de porter la robe jusqu'à huit ou dix ans. Avant 14, ils la portaient encore jusqu'à six ou sept ans. Tout d'un coup c'est fini. Si, dans la bourgeoisie, les garçons ont encore des cheveux

144

de fille jusqu'à onze-douze ans, ceux-ci sont écourtés chaque année et, dans une décennie, ils égaleront la brièveté des cheveux d'homme. De même les dentelles, les soieries, les couleurs, auxquelles les hommes avaient renoncé pendant le XIXᵉ, sont enfin abandonnées par les petits garçons et strictement réservées aux filles. Quelques magasins s'intitulent encore : « A l'enfant voué » mais ils manquent de clients car il devient impossible de condamner un garçon à vivre en bleu ciel.

L'adoption du pyjama par les femmes ne doit pas davantage faire illusion. C'est tout le contraire d'un phénomène de virilisation. Les femmes, qui montrent leurs jambes dans la rue, par coquetterie les cachent dans l'intimité. De même qu'elles avaient joué au soldat pendant la guerre, elles jouent dans l'alcôve la comédie de l'éphèbe. Les pyjamas féminins font d'ailleurs montre d'imagination et ne sont pas interchangeables avec un pyjama masculin. Bref, la même femme qui, à dix-huit ans, vivait cuirassée, se sera retrouvée, autour de la trentaine, ouverte à tous les vents.

XIII

En 1928, la femme ne porte plus qu'une robe droite et flottante qui escamote les seins comme la taille et s'arrête au-dessus des genoux. Cette robe est comparable à la tunique extérieure de l'Antiquité, et à la tunique intérieure correspond un nouveau dessous : la combinaison-culotte. Elle est également flottante cette courte et légère tunique de soie ou de satin mais ses pans sont reliés à mi-cuisse par une patte qui se boutonne. Cette patte est située trop bas pour protéger efficacement et, toute symbolique, elle vise à laisser croire que le ventre n'est pas à l'air libre. La plupart des filles jeunes dédaignent le porte-jarretelles qui les sangle et utilisent les jarretières. Une seule contrainte : le soutien-gorge.

On peut s'amuser à rechercher l'origine de la combinaison-culotte dans les chemises cousues sous la Révolution, par crainte des fessées patriotiques ; dans une chemise Louis-Philippe que l'on boutonnait au-dessus du genou mais qui, à peine conçue, fut délaissée ; dans un dessous américain, contemporain du bloomer, qui n'eut aucun succès en France où on l'accusa « de manquer à la fois de chasteté et de grâce » ; dans une combinaison-pantalon qui, après 1870, eut quelques adeptes, sorte de jupon dont les bords inférieurs étaient reliés par une large bande transversale. Mais dès qu'on accorde plus d'importance à l'esprit d'une lingerie qu'à sa forme, on constate que l'analogie existant entre la combinaison-culotte et les formes voisines qui la précédèrent depuis la fin du XVIIIe est trompeuse pour cette raison que, de la chemise de la Révolution à la combinaison américaine, c'est le souci d'enfermer le corps et de protéger la pudeur qui entretient l'inspiration, alors que le modèle 1926 repose sur la présence d'une languette incertaine, se balançant sous une jupe courte ; une ruse, donc, grâce à laquelle on peut se sentir nue et libre tout en prétendant respecter les convenances.

Peintres et dessinateurs, dont la plupart avaient vécu au temps où la femme était emboîtée dans un écrin vestimentaire, font de

la créature de 1926 un corps moins vêtu que
voilé, et voilé seulement jusqu'à mi-cuisse, car
ils exploitent les situations où la femme assise,
ou descendant de voiture, révèle un espace de
peau nue au-dessus du bourrelet que le bas
forme autour de la jarretière — un bas chair, de
plus en plus transparent. Ce bourrelet, qui à la
fois évoque le bracelet — le bracelet de l'esclave — et signale une région du corps à partir
de laquelle la peau est sans défense jusqu'à la
taille, mieux, jusqu'aux seins tant robe et
combinaison sont peu ajustées, restera un pôle
érotique jusqu'après 1930, période où le porte-
jarretelles l'emporta.

Car la mode de 1928 représentant un extrême, il ne lui restait plus qu'à glisser sur la
contre-pente. La combinaison-culotte disparut
presque complètement, sacrifiée, par scissipa-
rité, à la combinaison et à la culotte. C'est une
règle de l'époque contemporaine que tout combiné soit appelé à se diviser en ses éléments
simples, eux-mêmes tendant par la suite à se
regrouper avant une nouvelle division.

Il y eut pendant quelques années la concurrence de la culotte proprement dite et de ce
qu'on appelait abusivement un pantalon, dessous qui n'était qu'une culotte flottante aux

148

manches courtes et larges volontiers ornées de dentelles. Une réaction s'amorçait contre la facilité des mœurs ou du moins des rêves qui avait marqué l'époque passagère où il était aisé d'imaginer la femme dénudée. En même temps que les cheveux, les robes rallongeaient. Le porte-jarretelles, moins accessible au regard que les jarretières, reprenait l'avantage. Toutes les circonstances étaient réunies pour préparer la défaite du petit pantalon devant la culotte. Il ne protège guère et avec ses manches molles et ses festons il reflète une étape du goût qui est dépassée alors que meubles et édifices s'inspirent d'un idéal de surface dépouillée et de lignes simples. En outre, la loi de l'infantilisation du costume voulait que la culotte courte et collante répandue sous le nom de culotte « Petit-Bateau » fût adoptée par les adultes qui tantôt les conservèrent en un coton originel, tantôt utilisèrent des tissus soyeux roses bleus ou blancs — car le noir depuis la guerre a pris une valeur infernale qui lui vaut la ferveur des courtisanes. Pour une fois le même mouvement s'était produit dans le dessous masculin. Le caleçon long d'avant 14 était devenu un caleçon court qu'après 1930 remplace le slip, nom que donnèrent aussi les femmes à leurs culottes quand elles les simplifièrent à l'extrême. De même, si les modes masculines, qui, au XVIIe, variaient aussi vite que les modes féminines, s'obstinaient depuis 1830 à stagner, elles subissaient pourtant de lentes transformations qui tendaient à accroître l'aisance des mouvements ; les hommes n'avaient pas eu à se débarrasser du corset mais ils avaient abandonné les manchettes et les hauts cols amidonnés et tendaient à se libérer de l'étreinte du gilet.

Il est remarquable d'observer qu'aussi bien la femme romaine que la médiévale et celle de 1914 aient porté comme premier dessous, à même la peau, une chemise, c'est-à-dire une enveloppe simple, aisément et fréquemment lavable. Au contraire la femme de 1940, même si elle a encore une combinaison, met celle-ci par-dessus le soutien-gorge, de même qu'elle passe son slip par-dessus son porte-jarretelles. Elle tolère donc le contact direct de dessous plus ou moins caoutchoutés, plus ou moins contraignants, lavés moins fréquemment que les autres. Mieux : une fois la combinaison disparue, la femme accepte de mettre contre sa peau robes et chandails — ce qui est contraire à l'histoire du dessous qui avait toujours été conçu comme un intermédiaire entre le corps et les vêtements extérieurs.

La sensualité, qui avait cristallisé autour de la lingerie féminine, ne pouvait qu'être modifiée par sa quasi-disparition. Dans un premier temps, la femme troubla parce qu'on l'imaginait pratiquement nue sous sa robe, et l'intérêt ne pouvait se satisfaire des rares dessous simplifiés qui lui restaient. D'où une nostalgie, qui transparut dans les dessous noirs et festonnés des prostituées, dans l'attachement des danseuses de Montmartre aux pantalons froufroutants du french-cancan, dans les illustrations des revues libertines ou des ouvrages destinés aux enfers du XVIe arrondissement. De la sorte, au temps du slip, les bottines, les bas noirs, les corsets, les falbalas subsistèrent artificiellement, portés par un rêve orageux. Pour la première fois sans doute, le culte d'une mode périmée enflammait les esprits. On n'imagine pas sous Louis XIV un jeune homme demandant un adjuvant au souvenir des caleçons Renaissance.

Ce retour au passé peut se justifier : pendant un demi-siècle, le désir masculin s'était accoutumé à confondre le corps féminin et la lingerie compliquée qui le défendait. Un homme de trente ans, en 1930, appréciât-il dans la rue la légèreté de la tenue féminine et la perspective de cuisses nues que lui offrait une femme en s'asseyant, ressentait un manque dans l'intimité de la conquête. Il ne pouvait parvenir à considérer des dessous si succincts comme des obstacles suffisants pour faire rebondir son imagination. Si les « couchers d'Yvette » ne sont plus à la mode, c'est qu'il semble impossible de tenir en haleine une salle devant une dame qui n'a à abandonner que son slip et son soutien-gorge.

Pour que, sous le nom de strip-tease, ces « couchers » nous aient été rendus, il a fallu d'abord que parvînt à l'état adulte une génération qui n'avait pas connu les dessous d'avant la guerre de 1914. C'est à partir de 1933 que cette nouvelle race est en âge de manifester ses goûts. Ceux-ci convergent sur la petite culotte. Dans les feuilles spécialisées qu'échangent les lycéens, c'est ce dessous qui triomphe.

Au règne du dessous compliqué, baleiné et froufroutant, riche et pervers, volontiers tragique, se substitue celui de la brave petite culotte, toute candide et presque enfantine. Toujours, l'amour sensuel s'abreuve à deux sources contraires. Tantôt il désire que la volonté de débauche de la partenaire soit évidente, éhontée, et qu'elle se manifeste par la violence suggestive de ses dessous, tantôt il apprécie, dans la naïveté vestimentaire, le signe d'une innocence qu'il sera délicieux d'égarer. Dans le moment où la culotte « Petit-Bateau » se charge de plus d'électricité qu'une cuirasse de dentelle noire, la rapidité avec laquelle un aussi simple article vestimentaire pouvait être retiré prend la valeur aphrodisiaque qu'avaient au contraire, à de certaines époques, notamment au Moyen Age et avant 1914, la lenteur dans la progression, l'accumulation des obstacles. Dans la promiscuité du camping, de l'alpinisme, des sports d'hiver, des Auberges de la jeunesse, la vitesse avec laquelle une fille est prenable acquiert un sens émouvant. Le héros d'une des premières pièces d'Anouilh loue sa jeune maîtresse d'être un petit compagnon rapide à déshabiller.

Sauf quand il était brandi par les professionnelles du cancan, le dessous 1900 était invisible en société. Du dessous 1914 on ne pouvait entrevoir que le feston d'un jupon. En revanche, pendant l'entre-deux-guerres, l'essentiel du dessous, la culotte, ne demande qu'un hasard heureux pour apparaître. Elle est à la fois le vêtement le plus intime et le plus accessible. Le regard la rencontre sur les plages où les filles se changent sans cérémonie mais aussi sur les banquettes de métro, d'autobus, sur les gradins des cirques, des théâtres, des stades. Cyclistes, joueuses de basket, cueilleuses de cerises évitent d'autant moins les regards indiscrets qu'elles sont plus jeunes et que leurs robes sont plus courtes. Sur les courts de tennis, où la jupette devient à la mode, nul n'ignore ce que le moindre bond révèle. Le mot même prit une vigueur nouvelle suffisante pour qu'un groupe d'écrivains quadragénaires, il y a quelques années, ait entrepris de s'opposer à l'admission dans les dictionnaires du mot slip, auquel il reprochait de s'être indûment substitué à celui qui avait ému leur jeunesse.

Pendant la Seconde Guerre mondiale, le dessous s'appauvrit comme l'Europe ; en se teignant les jambes, les femmes pendant plusieurs années remplacent le bas par un trompe-l'œil. Le slip rétrécit, s'inspire de l'étroitesse des cache-sexe de music-halls, la combinaison disparaît. Après la Libération, les bas et le porte-jarretelles réapparaissent mais le dessous demeure très abrégé, se porte aussi facilement sous la jupe que sous le pantalon. Nouveau slogan des magazines féminins : pillez la garde-robe de votre frère. On alterne la jupe avec le corsaire puis avec le jean et les slips seraient interchangeables si les filles n'avaient pas remis le noir à la mode.

Fait nouveau : certaines jeunes filles entre-prennent de gouverner la mode et, du XVIe arrondissement, la femme de trente ans se rend à Saint-Germain-des-Prés, pour s'infor-mer. Elle y rencontre des filles un tout petit peu lesbiennes et très affranchies, d'un style dur et tendre qui reproduit celui de *La Sauvage,* d'*Antigone,* les héroïnes d'Anouilh encore que la vague de Sartre les baptise « existentia-listes ». Après quatre ans de prohibition de la danse, elles swinguent farouchement dans les caves les plus délabrées qu'elles peuvent trou-ver. Elles ne les quittent que pour voir l'aube se lever sur les poubelles. La tente de camping leur semble faire trop Auberge et même Chan-tier de la jeunesse. Bref, le plein air est démodé. Il est bon que les cheveux pendent, ophéliens, autour d'un visage blême qui refuse les caresses du soleil à l'égal de celles du fard. Entraînés par leur ferveur épuratoire, certains petits rats du Tabou ne portent plus de slip du tout et, derrière le bar, vont en chercher un, d'usage collectif, avant d'attaquer une danse un peu trop acrobatique.

Le temps qu'on se demande si ces filles étaient ou des révoltées ou des révolutionnaires et elles prouvèrent qu'elles étaient avant tout dociles. Elles obéissent sur-le-champ aux décrets de la haute couture parisienne qui, au nom de la prospérité retrouvée, reprend en main le gouvernement de la mode et montre son pouvoir en remettant les jupes à mi-mollet.

La femme se doit de rester maigre, mais avec des hanches plus rondes. Les couturiers, navrés qu'aucune lingerie ne vînt soutenir leurs œuvres, tentent de relancer le jupon. Ils se heurtent à une habitude qui se pare d'un prétexte : le dessous épaissit la silhouette. Dans une première phase, la clientèle résiste donc à l'offensive de tout dessous inspiré de la tunique intérieure. Mais ceux-ci sont nécessaires aux cinéastes qui, désireux à la fois de pratiquer l'intimité érotique et de ménager la censure, recourent volontiers soit à la combinaison, soit au jupon, ce qui laisse à penser aux spectatrices que telle est la tenue des stars.

Le raccourcissement des jupes en 1953, leur velléité de se gonfler en 1958, comme par gourmandise, d'une crinoline, n'ont pas modifié la structure du dessous. Il reste composé d'un soutien-gorge, d'un slip, d'un porte-jarretelles avec adjonction soit d'une combinaison — c'est rare — soit d'un jupon — c'est plus fréquent. Parfois (en application du principe de l'alternance du décomposé et du combiné), c'est le slip qui fait office de porte-jarretelles ou bien la gaine. Celle-ci se porte fermée sous le nom de « gaine-culotte » ou ouverte. En même temps que la gaine courte, qui part de la taille, sont revenues à la mode celles qui montent jusqu'à la poitrine, ou, inspirés du corset, des « bustiers » et des « guêpières » destinés à marquer la taille et à soutenir les seins.

L'abondance de tissus naturels ou synthétiques très malléables, la grande industrialisation de la lingerie féminine, la puissance de la publicité ont favorisé, depuis 1950, la multiplicité des formes, la précipitation de leur changement, la rapide succession des couleurs.

Ainsi, au cours d'une même saison, une femme à la mode emploiera des dessous d'inspiration contradictoire, juxtaposant les formes les plus récentes et les plus archaïques. Sous son short de tennis, elle enfilera un slip cousin de la culotte 1930 ; sous son pantalon, naguère de ski, une de ces gaines descendant au genou, le *panty,* qui rappelle le caleçon de la Renaissance ; sous sa jupe de golf, un petit bloomer ; sous sa robe du soir, une guêpière issue du corset médiéval assortie au cache-sexe de la Libération. Et encore, le lendemain, pourra-t-elle continuer ses variations en utilisant un « fond de robe » (c'est sous ce nom que la combinaison a repris le combat), ou la « Mitoufle » qui rend le bas solidaire du slip.

Dans les années 60 c'est aux hasards du pouvoir personnel qu'il faut attribuer le zèle avec lequel la licence fut traquée par les pouvoirs publics. En publiant Sade un éditeur risquait des poursuites comme sous le Second Empire. Cet accès de puritanisme était anecdotique. La morale de l'époque reposait pour longtemps sur un laxisme optimiste et l'érotisme ne demandait qu'à être intégré comme un facteur d'ordre et de prospérité. La presse, soit dans ses pages de publicité, soit pour illustrer ses chroniques de mode, publiait en abondance des photographies de femmes plus ou moins dévêtues qu'il eût fallu chercher avant la guerre dans des magazines libertins. L'intimité du dessous occupait l'espace des écrans ou flottait sur les places publiques autour des kiosques à journaux. Quand, au XIIIe siècle, Saint Louis permit aux lingères de mettre en montre, autour du cimetière des Innocents, ce qu'elles avaient cousu pendant la nuit, le secret en demeurait intact à dix lieues de Paris. De ce secret les moyens de diffusion contemporains font un règlement qui est d'autant mieux suivi par les classes laborieuses en voie d'embourgeoisement que le dessous, au même titre qu'un véhicule ou un appareil ménager, devient un signe de promotion sociale.

Dans le passé, des modes avaient subsisté au fond des provinces ou des faubourgs lors même qu'elles avaient été abandonnées depuis des siècles par Paris, et surtout quand elles concernaient les dessous qui, par nature, sont invisibles totalement ou en partie. En 1941 une enquête menée en Limagne prouvait que la culotte était encore peu connue des jeunes filles et que celles-ci en faisaient l'emplette sous l'influence de l'institutrice en même temps que d'une brosse à dents. En 1960, dans certaines régions du Massif central, certaines paysannes étaient encore nues sous leurs jupons, ce qui signifiait qu'elles n'avaient même pas été atteintes par le pantalon du Second Empire. Près de Paris, à Nemours, un médecin constatait, dans une clientèle de vieilles bourgeoises, la persistance du pantalon fendu. Il était important de rappeler le pouvoir clandestin du dessous avant d'aborder l'aventure qu'il a traversée pendant ces quinze dernières années.

A la veille de 68 les jeunes filles portaient de plus en plus volontiers des pantalons et des blue-jeans et lorsqu'elles revêtaient un système ouvert, jupe ou robe, elles plaçaient leur porte-jarretelles par-dessus leur slip, ce qui préludait à un système fermé. En même temps s'imposait une nouvelle trouvaille, le collant, qui lui aussi assujettissait et fermait le corps féminin. La mini-jupe avait exigé le collant en rendant intolérable la présence d'un porte-jarretelles qui aurait été visible à tout moment. Après 68 la femme entra dans une ère où elle n'avait le choix qu'entre deux systèmes d'incarcération, celui du pantalon ou celui, porté sous une robe, d'un collant qui l'enfermait de l'orteil à la taille. Une double offensive, triomphante soit dans le vêtement soit dans le sous-vêtement, tendait à unifier définitivement en un système clos le vêtement de la femme et celui de l'homme. Il semblait acquis que le collant l'avait emporté et d'autre part que le pantalon se substituerait à la jupe et à la robe, la femme ayant admis de ne plus sexualiser ses apparences que par des accessoires.

C'est ici que la clandestinité du dessous prend sa valeur stratégique. Il nous arrivait à Antoine Blondin et à moi, ainsi qu'à d'autres écrivains qu'on savait hostiles à la voie où s'engageait l'allure féminine, d'être interrogés par des magazines sur le goût désuet, pour ne pas dire sénile, que nous portions à la robe, aux bas, au porte-jarretelles. Ces interviews n'étaient pas le fruit d'une curiosité fortuite. Depuis leur disparition officielle le bas et le porte-jarretelles, dont le port avait été considéré comme normal, subsistaient dans les ténèbres des jupes, secrets et inquiétants comme une messe noire ou une messe en latin.

Leur fabrication n'avait été poursuivie que par quelques marques et à une cadence restreinte, mais on savait que leurs seules utilisatrices n'étaient pas de vieilles dames entêtées. Si l'on nous interrogeait de temps à autre sur ces dessous énigmatiques que la mode avait prohibés c'est qu'on connaissait l'existence d'une mode des catacombes que de jeunes femmes continuaient de cultiver et auxquelles les adolescentes s'initiaient, qui n'ayant jamais connu de porte-jarretelles s'en faisaient expli-

161

quer le maniement par la vendeuse. Pendant qu'on feignait de croire, notamment dans la publicité, que certaines formes du dessous avaient disparu, celles-ci survivaient. Au moment où j'écris ces lignes (novembre 1978) il se trouve que la fabrication des bas et des porte-jarretelles a en quelques mois centuplé sans que le spectacle de la rue puisse en témoigner puisque, pour se défendre contre le bas à couture, les collants, dans un mouvement d'hypocrisie suprême, se sont transformés en collants à couture qui satisfont un fantasme sans renoncer à leur principe initial qui est incarcérateur.

Dans le même temps les pantalons dont certains avaient cru, et surtout à l'époque de l'unisexe, qu'ils remplaçaient les robes et les jupes ont été statistiquement dépassés par elles. Je me garderai de prévoir une victoire définitive du système flottant chez les femmes et de la nudité de leurs cuisses parce que rien n'est prévisible dans le costume mais je suis enclin à constater qu'il y eut, qu'il y a eu, qu'il y a, lié intimement au mouvement de la civilisation occidentale, une tendance persistante à distinguer l'homme et la femme par la relation de leurs corps avec l'air extérieur et le regard des autres.

Depuis quelques années ce mythe a été décodé. Il y a vingt ans une femme portait innocemment et comme naturellement un porte-jarretelles sous une jupe, aujourd'hui elle est consciente que cette attitude délibérée a une signification — pour elle et pour l'autre. Cela est neuf.

XIV

La valeur du nu dans la peinture et la sculpture varie selon le sens que lui donne le regard d'un artiste et d'un public vêtus. Les sculptures de la Grèce antique, les poteries s'inspiraient surtout du corps humain nu, ou presque nu. Ce corps était le plus souvent celui d'un homme et, qu'il appartînt à un éphèbe ou à un dieu, il était toujours celui d'un athlète.

Les relations de la Grèce antique avec le nu puisent à plusieurs sources de la sensibilité. La coutume d'abord qui, bien que l'homme fût vêtu dans sa vie quotidienne, lui permettait de se montrer nu en beaucoup de circonstances et parfois le lui enjoignait. Hésiode avait énoncé comme une règle : « Sème nu, laboure nu, moissonne nu. » Des œuvres d'art nous montrent que les vendangeurs respectaient le même usage. Il était normal qu'un Grec se baignât nu ; au gymnase, comme l'étymologie du mot le rappelle, sur le stade, l'athlète, et aussi bien le citoyen cherchant à entretenir sa forme que le professionnel, agissait soit dans une nudité totale, soit à demi vêtu par la chlamyde, manteau qui submergeait le côté droit tout en laissant visible le côté gauche.

On peut assimiler le nu au cru et au sauvage mais on aurait tort de s'y hasarder à propos des Grecs pour lesquels il était un raffinement. Rien n'était plus beau pour eux qu'un corps masculin ni plus désirable que de le fortifier sur le stade ou dans les champs et de l'imiter en le magnifiant par la sculpture.

Le Grec est un prince et il est bon prince, content. Non seulement content de ce qui lui a été donné par la création mais en extase et grave devant son extase, s'appliquant à l'expliquer, cherchant de hautes lois, des nombres d'or pour le produire. Il est prêt à féliciter quelqu'un de divin, à le remercier avec effusion quand le soleil se couche ou se lève ou quand les feuilles cuivrées volent au vent d'automne ou quand elles glissent hors du bourgeon rose une languette verte et chiffonnée. La noble lenteur d'une rivière épandue entre ses rives nonchalantes le transporte, mais tout autant le tonnerre fumant des cascades, le rire bruyant de la mer ou le murmure cristallin des fontaines, glouton des sources qui s'étranglent elles-mêmes, chuchoteur des ruisselets froissant l'herbe. Narcisse se mire dans l'étang. Le prince divinise les vaches, les arbres, les sources, les rochers, mais avant tout ce prince a divinisé son corps, celui de son voisin : le corps des hommes. Pour mieux l'imaginer il est tout disposé à glorifier des muscles qui harmonient le rapport d'un thorax et d'un bassin, à rendre dans l'immobile ce que le mouvement donne d'inimitable à une architecture, à immobiliser le rêve et à métamorphoser l'élan d'un corps en un jet diagonal.

Les premiers nus de pierre sont apparus dans des cités où les citoyens vivaient à l'occasion nus sans en éprouver aucune gêne. Au début les représentations du corps féminin furent rares. Les Grecs se laissaient moins facilement troubler par la sensualité des formes féminines. En outre, il n'était pas dans les coutumes que les femmes donnassent le spectacle de leur nudité. Seules, comme nous l'avons déjà remarqué, les filles de Sparte se montraient ainsi au stade, dans les fêtes, dans les processions, combattant même au corps à corps avec les garçons et ne portant habituellement qu'une jupette si ample et si courte qu'elle révélait au moindre mouvement ce qu'elle prétendait cacher. Mais ces jeunes Spartiates étaient le scandale de la Grèce et leur liberté d'allure et de vêture ne servit d'exemple à aucune des autres cités. Donc, sauf à Sparte, la présence d'un nu sculptural s'il était féminin était contraire à l'usage quotidien. L'Athénienne ne pratiquant guère le sport ne pouvait entrer d'emblée dans les canons de l'esthétique qui reposaient sur l'enlacement des muscles. Il fallut, pour que Vénus se mît en concurrence avec Apollon, que l'art découvrît d'autres ressources dans la morphologie de la femme et compensât, par le galbé, le noueux de la musculature masculine. Malgré leur prédilection pour l'homosexualité, les Grecs n'étaient tout de même pas insensibles aux appas du corps féminin [1] et ce fut en les sculptant qu'ils inventèrent ce qu'on appelle aujourd'hui la

1. Que Praxitèle en 350 avant Jésus-Christ ait sculpté la Vénus de Cnide, animé par l'espoir de faire partager un désir charnel, c'est probable, et les derniers Grecs de l'Antiquité ne se trompèrent pas lorsque l'un d'entre eux, dans un récit attribué à Lucien, raconte qu'il obtint du gardien les clefs de la chapelle, afin de contourner la déesse et de voir, d'embrasser « cet autre aspect de la déesse » comme l'écrit Clark, de « l'épouser complètement » comme l'avait écrit Maurras.

« draperie mouillée » dont les plis adhèrent au corps et accentuent aussi bien les déhanchements que les modelés, mettant en valeur, parce qu'ils les suggèrent comme une transparence, les régions les plus spécifiquement féminines.

A Rome, pendant la période impériale, un petit faible subsiste pour les gitons et les bergers mais la femme est plus qu'en Grèce un objet de désir. Pourtant aucune œuvre romaine ne produit le trouble très sexualisé qu'atteignait la sculpture grecque. Cela tient à un déclin du génie mais aussi à l'impuissance où étaient les Romains et les Grecs, dès le passage à l'hellénistique, de considérer le corps comme la concrétisation de l'esprit. Bientôt sous l'influence chrétienne naîtra même la conviction que le corps est une humiliante prison où l'esprit est retenu. Le nu disparaît de la peinture et de la sculpture. Seul le Christ peut se permettre une quasi-nudité, celle de la douleur. Il y a Ève aussi que la Bible oblige à être nue mais sa chair est la livrée du péché. La nudité est réduite à exprimer la douleur sacrée et le péché sacré.

Dans la vie publique au Moyen Age le nu n'était pas prohibé, on le tolérait dans les bains, au bord des rivières et, comme on sait, il était de règle de dormir sans vêtement. Mais sa limitation dans les arts, la force d'une religion pour laquelle il était coupable se conjuguent pour le pousser dans une clandestinité qui multiplie ses pouvoirs érotiques. L'une des épreuves que, selon les troubadours, l'aimée imposait à son soupirant consistait à se dévêtir puis à s'allonger sur un lit ; le soupirant, abrité par une tenture, la regardait puis il traversait la pièce en frôlant le lit sans se permettre le moindre geste. La saveur de ce jeu qu'une assez longue durée sépare encore de la possession complète est d'une perversité savante dont jouissaient également l'homme et la femme. L'absence du vêtement a pris une valeur érotique en soi.

A partir du Quattrocento le nu réapparaît dans l'art et bientôt triomphe. La mythologie a été autorisée, tout comme les Saintes Écritures, à inspirer le peintre et le sculpteur. Vénus et les trois Grâces peuvent contrairement à Ève la pécheresse offrir orgueilleusement leurs corps aux regards. Même les vertus cardinales se dévêtent ; la Tempérance en est quitte pour esquisser un maladroit geste de pudeur et exprimer une confusion outragée qui pimente sa nudité. Pendant un temps, et non pas seulement chez Michel-Ange, les corps masculins étaient restés plus nombreux mais à partir du XVIe la représentation de la nudité féminine l'emporte.

Les plus grands peintres de la Renaissance n'ont pas craint de créer des femmes pour lesquelles leur désir était évident. L'art n'est pas considéré comme une ascèse technique ou idéologique. Le sentiment de beauté qu'éprouve le spectateur n'exclut pas une émotion aphrodisiaque. Le mouvement qui tend à vêtir de plus en plus les hommes et à dévêtir les femmes se manifeste aussi bien dans *Le Concert champêtre, La Vénus au joueur d'orgue* que dans *L'Atelier du peintre* et *Le Déjeuner sur l'herbe*. Il implique un érotisme moderne où la femme concentre en elle l'attrait sexuel.

La femme vêtue joue le même rôle non pas seulement dans les gravures galantes du XVIIe et du XVIIIe mais dans l'œuvre de grands peintres majeurs ou mineurs comme Watteau et Fragonard. Les siècles classiques ont été très sensibles aux relations de la chair féminine et du vêtement. Il est probable que la draperie mouillée était un procédé artistique, une ruse géniale de sculpteur, mais il est possible que

cette conception ait été inspirée par le rapport
que l'artiste imaginait entre un corps et les
tissus légers qui flottaient autour de lui. En un
temps où l'homme était également drapé, cette
sensation, on pourrait dire cette cénesthésie,
n'était pas caractéristique de la femme, alors
qu'au XVIIᵉ, où l'homme est enfermé dans son
vêtement, elle l'est devenue mettant en mouvement l'imagination masculine ; on sait que sous
les mouvements de la robe le corps est nu des
genoux à la taille. Le tableau de Deruet où une
jeune chasseresse désarçonnée est trahie par
l'envolée de sa jupe image un nouveau rêve
masculin où la femme est à la fois nue et vêtue.
Au siècle suivant, Fragonard précise encore ce
thème en peignant une jeune femme complaisamment juchée sur une escarpolette ; sa robe
est évasée par le panier, ses jambes s'écar-
tent pour sauvegarder l'équilibre et un jeune
homme allongé à ses pieds, le visage levé vers
elle, voit ; elle sourit à demi parce qu'elle sait ce
qu'il voit et qu'il sait qu'elle le sait.

A l'histoire de l'art et des lettres je ne
demande que des points de repère pour esquisser l'histoire des relations que l'Occident a
entretenues avec son corps et avec ses vêtements. Au XIXᵉ, un tableau comme celui de

L'Escarpolette aurait déconsidéré son auteur. Pour tolérer Ingres, on était tenu de le juger académique et de n'apprécier ses œuvres que comme de patientes études d'anatomie. Un torrent charnel ne demandait qu'à déferler à travers Delacroix mais il lui fallut le canaliser dans l'énergique et le pathétique. Quand, à partir du Second Empire, la femme devient peu à peu une fortification, le nu conserve sa place dans les expositions officielles mais à condition de ne plus exprimer qu'une abstraction. Si Courbet et Manet font scandale c'est parce qu'au faîte d'un corps nu ils osent placer des visages qui évoquent non une allégorie mais une femme que l'on pourrait rencontrer. Le nu expressif sera pardonné à Toulouse-Lautrec parce que celui-ci est le reporter de la pègre et ne peint volontiers que des femmes repoussantes. Rodin et Renoir de nouveau exaltent la chair mais leur œuvre se situe hors du temps. Si les dessins de Rodin se font trop précis, on les relègue dans un enfer où ils végètent toujours. Quant aux baigneuses de Renoir elles relèvent d'une lointaine mythologie car à leur vue un garde champêtre patrouillant au bord de l'eau aurait aussitôt verbalisé. Il n'empêche que, dans la littérature du XIXe, l'apparence de l'être

humain s'intègre à celle de l'environnement.
Lisant çà et là des nouvelles de Maupassant, je
laisse se fondre des paysages et des regards, des
vêtements et des visages, des couleurs et des
intentions, des fards, des secrets, des mouvements d'ombrelle. Dans un tramway qui traverse les dépotoirs d'une banlieue jalonnée de
chétives maisons de plâtre voisinent l'employé
bouffi, de noir vêtu, de rouge décoré qui cause
avec un officier de santé maigre et débraillé,
vêtu, lui, de coutil blanc bien sale et coiffé d'un
vieux panama. Plus loin, dans la cour d'une
auberge mi-citadine mi-campagnarde, une
boutiquière sanglée de soie cerise s'essaie
à l'escarpolette, étranglée violemment par
l'étreinte de son corset trop serré dont la
pression rejette jusque dans son double menton
la masse fluctuante de sa poitrine surabondante
pendant que sa fille aux très grands yeux noirs
se balance en fouettant l'attention par le gonfle-
ment de sa jupe. Elle hume la langueur frisson-
nante de la Seine dont de jeunes femmes en
claires toilettes de printemps enjambent le
miroitement pour monter dans les yoles ; les
rameurs en maillots blancs d'où s'échappe une
peau gonflée par les biceps passent devant les
gazons de la rive où s'attardent des filles aux

seins démesurément rebondis, à la croupe exagérée, au teint plâtré, aux yeux charbonnés, aux lèvres sanguinolentes, lacées dans des robes extravagantes destinées à émouvoir des jeunes gens en gants clairs et bottes vernies qui ponctuent la niaiserie de leur sourire en jouant de la badine ou du monocle, insensibles à l'arôme où se mêlent la poudre de riz et le foin coupé, comme à la fuite du soleil qui incendie les buissons et arrache une lente buée au fleuve éclatant de lumière. Plus loin encore, au-delà de cette fausse campagne jalonnée par les longues cheminées des fabriques, un train normand se glisse entre des champs de colza en fleur dont la nappe jaune ondule ; dans le même compartiment un « monsieur » à favoris blonds, bagues et chaîne de montre en or attaque avec un air farceur quelques putains ; Raphaele dont la coiffure emplumée semble un nid plein d'oiseaux, Fernande la grande blonde presque obèse qui étouffe dans sa robe écossaise ; enfin toutes acceptent des jarretières en soie lilas, ponceau, rose, orange, dont les boucles forment deux amours enlacés et dorés ; le monsieur est commis voyageur en jarretières et tient à les essayer lui-même à ces dames sous le regard affolé d'un paysan vêtu d'une blouse

174

bleue, au col plissé, aux manches larges et brodées, coiffé d'un haut-de-forme roux, affublé d'un parapluie vert et d'un panier qui laisse passer trois têtes de canards. Au XIXᵉ, de Balzac à Maupassant, les romanciers, beaucoup plus disposés à la description que leurs prédécesseurs, unissent le corps et le vêtement en un ensemble ; ce mélange produit une certaine physionomie qui tranche sur celle — également sociale et naturelle tout à la fois — du lieu, ou s'entend avec elle.

En même temps ce siècle limitait le contact du corps avec l'eau. Sous l'Empire, les hommes avaient encore le droit de se baigner nus dans la Seine en plein Paris, les femmes ayant, elles, le devoir de baisser les yeux à ce spectacle. Car si la peinture a opté pour la nudité féminine, la société gardera jusqu'à la Restauration plus d'indulgence pour l'impudeur masculine. Même en Angleterre où sur les plages une cloche sépare l'heure où les femmes se baignent, s'avançant jusqu'à l'eau enveloppées dans une robe, un pantalon bouffant et un peignoir et soutenues par des matrones, de celle où, après un autre coup de cloche, les hommes s'avançaient nus sur la plage. Ils n'étaient pas nus pour longtemps, bientôt un

175

sévère maillot allait se refermer sur eux. Dans quelques pays attardés comme l'Espagne, les femmes, pendant la première moitié du XIXe, avaient encore le droit en pleine ville de Cordoue de se baigner nues, la nuit tombée. « Aussitôt que l'angélus sonne, il est censé qu'il fait nuit », écrit Mérimée qui ajoute que du haut des quais les hommes contemplent des baigneuses qui feignent en riant d'être vêtues par le crépuscule. Mais sur Cordoue aussi le rouleau compresseur du respectable XIXe siècle ne tardera pas à passer. C'est au XXe que le maillot rétrécira, que la peau retrouvera sur une superficie sans cesse accrue le contact avec l'atmosphère.

Ce mouvement amorcé avant la guerre de 14 se poursuit encore de nos jours. Pour les femmes les seins nus sont recommandés ou tolérés sur la plupart des plages et sur un certain nombre la nudité totale est de rigueur. Mais de ces hommes et de ces femmes nageant ou se dorant sur le sable, peut-on avancer même s'ils sont privés de tout vêtement qu'ils sont nus ?

Pour Alain le nu était la négation de la politesse, le triomphe de l'animal sur l'homme, d'un paganisme bestial sur une démocratie policée. Il écrit cela en un temps où le citoyen, qu'il soit bourgeois ou qu'il soit radical, est vêtu à peu près comme en 1835, c'est-à-dire sanglé et tuyauté de sombre et de raide par des « tailleurs qui se sont ingéniés à corriger l'erreur de la nature qui a permis à l'homme de fléchir les genoux et les coudes [1] ». La résistance de la nature pouvant entraîner des plis, l'homme civilisé doit apprendre à se tenir debout le corps droit, les pieds joints et les bras tombants, « dans la position du soldat sans arme », et à s'asseoir en relevant légèrement les manches de son pantalon ; il doit éviter tout naturel dans ses gestes et apprendre à se mettre en colère sans déranger l'ordonnance bétonnée de son vêtement. Pour Alain, cette négation du corps humain est une négation de la sauvagerie et une apologie de la civilisation, donc de la pensée. Pour penser, pour écrire, encore convient-il d'être vêtu comme Alain, c'est-à-dire comme un professeur. Sans sa livrée bourgeoise l'homme n'est plus qu'un singe. Il ne peut plus correspondre avec lui ni avec les autres. Je me moque mais, comme d'habitude,

1. Goblot, *La Barrière et le Niveau.* Dans ce livre, Goblot qui était un logicien se donna la permission et la mission de s'aventurer dans un monde où la logique n'avait pas cours.

Alain ne se trompait pas tout à fait ; la nudité au XXᵉ siècle nous transforme, modifie notre champ de conscience parce que nous ne pouvons plus être nus sans en avoir conscience.

Avec le jardin à la française qui imposait aux feuilles des massifs le même règlement qu'aux pierres des châteaux, l'Occident avait réduit la nature à la géométrie ; ayant fait triompher l'ordre, il ne pouvait changer qu'en inventant, avec le jardin anglais, le désordre. De même il ne lui reste plus, ayant déployé son acharnement créateur pour vêtir, qu'à apprendre à dévêtir. Gide a raconté dans *L'Immoraliste* cette conquête consciente de la nudité. Son héros ayant choisi un rocher moussu échappant à tout regard se dévêt lentement et s'allonge. « Je sentais sous moi le sol dur ; l'agitation des herbes folles me frôlait. Bien qu'à l'abri du vent, je frémissais et palpitais à chaque souffle. Bientôt m'enveloppa une cuisson délicieuse ; tout mon être affluait vers ma peau. » Il ose plus, et, ayant trouvé comme Daphnis et Chloé une source claire retombant en cascade, après s'être penché sur elle comme Narcisse, il s'y plonge tout entier. Il en ressort bientôt pour s'allonger au soleil. « Là, des menthes croissaient, odorantes ; j'en cueillis, j'en froissai les feuilles, j'en frottai tout mon corps humide mais brûlant. Je me regardai longuement, sans plus de honte aucune, avec joie. » Il se trouve que je fis à quatorze ans une expérience de dénudement analogue à celle de Gide. C'était à la montagne. Je me dévêtis sur le roc à proximité d'un glacier. Celui-ci avait rétréci sous l'effet de l'été qui l'avait flanqué d'une grève où parfois le bonheur permettait de surprendre l'éclair d'un cristal de roche. Je me rappelle que j'eus non la conscience d'être nu mais d'être privé de mes vêtements, ou libéré si l'on préfère ; je savais aussi que je transgressais un usage et le trouble que cette audace me procurait était sensuel, l'attitude de mon corps me le prouvait. Je rêvais qu'une fille était nue comme moi sur le flanc du glacier. Ce sable, ce rêve, je les ai retrouvés plus tard sur le bord de la mer où l'imaginaire tourna à l'orgasme. J'avais été ainsi formé par ma société que ma nudité était incapable d'être pure. J'ai tendance à ajouter : heureusement pour elle. Mais sans doute cette certitude est-elle due à un long conditionnement.

Dans la cabine d'un wagon-lit j'ai voyagé avec une jeune femme qui, presque nue, alors que le train traversait une ville et que la nuit venait de tomber, se savait illuminée par l'électricité, visible de toutes les fenêtres qui perçaient les mornes façades entre lesquelles le convoi s'engouffrait. A la simple idée qu'elle offrait cette nudité à des regards inconnus et anonymes, elle éprouvait l'émotion qu'avait ignorée la jeune Spartiate habituée à offrir son corps aux regards dans les lieux publics.

Les plages où le nudisme est non seulement toléré mais de rigueur excluent cette charge érotique. Les naturistes, qui se retrouvent ensemble en des lieux soumis à un règlement qui interdit le vêtement mais aussi le moindre geste tendre et l'emploi d'un appareil photographique, ne doivent pas, pour la plupart d'entre eux, être plus troublés que les Spartiates. Le mouvement naturiste est né avant la dernière guerre comme une religion.

Elle datait de loin cette religion naturiste qui, ne visant qu'à la rectitude morale et physique, exhibe le corps comme une robuste abstraction de la santé ou de la pureté, comme une victoire sur les charmes corrompus du siècle, sur les voiles et les ornements qui attisent les rêves du plaisir. Pour le sinistre Diogène, si le nu est préférable au vêtement c'est qu'il est rigueur, refus du luxe et de la débauche. Pour César, pour Tacite, bien qu'ils ne soient pas allés au bout de leur pensée, le vêtement est un luxe menteur et c'est à la sauvagerie qu'il faut demander une leçon de vertu. Les premiers chrétiens furent sensibles aux vertiges d'une ascèse où, nu, le corps retrouvait le naturel d'un arbre, et parmi les ermites du désert beaucoup considéraient leur nudité comme un comble du renoncement aux vanités terrestres. Quand l'Occident se fut remis du choc des grandes invasions et que, sans même s'en apercevoir, il eut dépassé la civilisation antique qu'il vénérait, il fallut que ce succès fût contesté et qu'en un moment où le raffinement atteignait à son comble Rousseau parût, brandissant son bon sauvage et faisant de la nudité une école de robustesse et de chasteté. C'est toujours sur cet axe que de nos jours le naturisme a vaincu en convainquant.

Il s'est répandu grâce à des associations aux statuts rigoureux; prosélyte, il publiait et publie toujours des bulletins où le retour à l'état de nature est prêché avec un enthousiasme rousseauiste étayé scientifiquement par des rapports de médecins et d'écologistes. Il s'agit apparemment d'un culte du soleil, de l'air et de l'eau, d'une victoire de la pureté corporelle sur les contraintes et les conventions. Hommes et femmes sont censés se côtoyer chastement pour participer à un idéal de santé physique et morale. D'eux-mêmes, les premiers naturistes associaient le nu au cru et, le plus souvent végétariens, se régalaient d'eau claire, de crudités et de vent. Volontiers je diagnostiquais une régression dans ce culte de la sauvagerie purifiante, mais le naturisme s'il est une foi sincère a servi de caution à des infidèles qui avaient d'autres idées en tête que la religion de la pureté.

Ils accédèrent aux plages réglementées, brevetées non sexuelles et, bien qu'à leurs regards on les distinguât des adorateurs patentés du soleil, ils ne se satisfirent pas du nudisme officiel ni des abris que leur offraient la nuit, le bateau, dunes et calanques et inventèrent des plages nudistes que les pouvoirs publics n'ont pas reconnues mais ont feint d'ignorer. En 1970, *Match* m'envoyait enquêter sur le scandale des seins nus de Saint-Tropez; les seins ont vite cessé non pas d'intéresser mais de scandaliser et le reste du corps, de saison en saison, se dénuda irrésistiblement. Il y a des plages du club Méditerranée où nus et non-tout-nus voisinent et se regardent. Bref un naturisme naïf et fanatique a facilité l'apparition d'un nu troublant et trouble, dépourvu de toute innocence animale ou barbare.

Après s'être dévêtu, l'*immoraliste* pouvait croire qu'en se rapprochant de la nature il combattait les conventions puritaines mais il savait qu'il réalisait un fantasme et qu'il franchissait une étape sensuelle. Cette étape notre époque l'a franchie, sur la plage, sur l'écran, sur la scène, dans les livres, les journaux, les expositions, et toujours avec de bonnes raisons à l'appui, la plus simple consistant à réprouver toute censure. Et les couturiers qui ne peuvent, sans chercher leur ruine, lancer un nu intégral, s'ingénient à organiser le fendu, le moulant, le transparent, en donnant à penser que le corps en question marque une pause avant de se révéler.

La seconde moitié du XXᵉ siècle en inventant le nu pour la plage a inventé un nouveau vêtement : le dévêtu. Le nu conscient. De même qu'une femme est consciente de la signification d'une robe parce qu'il lui arrive de sortir en pantalon, elle est consciente, parce que vêtue d'habitude, d'être non vêtue quand elle entre nue dans la mer. C'est son corps seul et non le mouvement d'une étoffe qui signale son sexe et proclame la dichotomie chère à l'Occident. Il fallait qu'après avoir inventé le vêtement et l'avoir investi de sens multiples, l'Occidental inventât le nu dans la nouvelle carnation du dévêtu, face à la nature qui l'a fait, face à la société qu'il a faite. Il le fallait parce que l'Occidental est en représentation — même face à lui-même — vêtu ou dévêtu, impuissant, par excès de puissance, à être simplement nu comme à être seulement vêtu, conscient de l'absence et de la présence du vêtement, incapable d'être dupe, et volontairement dupe de cette incapacité.

DU MÊME AUTEUR

DERNIÈRES PARUTIONS

*Cet ouvrage
a été achevé d'imprimer par
l'imprimerie Bussière à Saint-Amand (Cher)
le 4 juin 1982.
Dépôt légal : juin 1982.
Imprimé en France (1083)*